新 潮 文 庫

ねじまき鳥クロニクル

第 1 部

泥棒かささぎ編

村上春樹著

新 潮 社 版

5976

ねじまき鳥クロニクル
第1部　泥棒かささぎ編

目次

ねじまき鳥クロニクル

第1部　泥棒かささぎ編

一九八四年六月から七月

①

火曜日のねじまき鳥、六本の指と四つの乳房について

　台所でスパゲティーをゆでているときに、電話がかかってきた。僕はFM放送にあわせてロッシーニの『泥棒《どろぼう》かささぎ』の序曲を口笛で吹いていた。スパゲティーをゆでるにはまずうってつけの音楽だった。

　電話のベルが聞こえたとき、無視しようかとも思った。スパゲティーはゆであがる寸前だったし、クラウディオ・アバドは今まさにロンドン交響楽団をその音楽的ピークに持ちあげようとしていたのだ。しかしやはり僕はガスの火を弱め、居間に行って受話器をとった。新しい仕事の口のことで知人から電話がかかってきたのかもしれないと思ったからだ。

「十分間、時間を欲しいの」、唐突に女が言った。

僕は人の声色の記憶にはかなり自信を持っている。それは知らない声だった。「失礼ですが、どちらにおかけですか？」と僕は礼儀正しく尋ねてみた。

「あなたにかけているのよ。十分だけでいいから時間を欲しいの。そうすればお互いよくわかりあうことができるわ」と女は言った。低くやわらかく、とらえどころのない声だ。

「わかりあえる？」

「気持ちがよ」

僕は戸口から首をつきだして台所をのぞいた。スパゲティーの鍋《なべ》からは白い湯気が立ちのぼり、アバドは『泥棒かささぎ』の指揮をつづけていた。

「悪いけど、今スパゲティーをゆでてるんです。あとでかけなおしてくれませんか」

「スパゲティー？」、女はあきれたような声を出した。「朝の十時半にスパゲティーをゆでているの？」

「あなたには関係のないことでしょう。何時に何を食べようが僕の勝手だ」、僕はちょっとむっとして言った。

「それはそうね」、女は表情のない乾いた声で言った。ちょっとした感情の変化で声のトーンががらりとかわるのだ。「まあいいわ、あとでかけなおすから」

「ちょっと待って」、僕はあわてて言った。「何かのセールスだとしたら、何度電話をかけてきたって無駄《むだ》ですよ。こっちは今失業中の身だし、何かを買う余裕なんてないから」

「知ってるから大丈夫よ」

「知ってるって何を？」

「だから失業中なんでしょう。知ってるわよ、そんなこと。だから早くあなたの大事なスパゲティーをゆでてくれば」

「ねえ、あなたはいったい――」と言いかけたところで電話が切れた。すごく唐突な切れ方だ。

感情の持っていき場のないまま、手に持った受話器をしばらく眺《なが》めていたが、やがてスパゲティーのことを思いだして台所に行った。そしてガスの火をとめてスパゲティーをざるにあけた。スパゲティーは電話のせいでアルデンテというには心もち柔らかくなりすぎていたが、致命的なほどではない。

わかりあえる？　とそのスパゲティーを食べながら思った。十分でお互いの気持ちがよくわかりあえる？　女が何を言おうとしているのか僕には理解できなかった。ただの悪戯《いたずら》電話かもしれない。あるいは新手の商売かもしれない。どちらにしても僕には関係がない。

それでも居間のソファーに戻って図書館で借りた小説を読みながら電話機をちらちら眺めていると、その女の言う「十分間でわかりあうことのできる何か」というのが気になりはじめてきた。十分でいったい何がわかりあえるのだろう？　考えてみれば女はそもそもの最初からきちんと十分と時間を区切っていた。彼女はその限定された時間の設定に対してかなりの確信を抱いているようだった。それは九分では短すぎるし、十一分では長すぎるのかもしれない。ちょうどスパゲティーのアルデンテみたいに。


そんなことを考えているうちに本を読む気分でもなくなってしまった。シャツにアイロンをかけようと僕は思った。頭が混乱してくると、僕はいつもシャツにアイロンをかける。昔からずっとそうなのだ。僕がシャツにアイロンをかける工程はぜんぶで十二にわかれている。それは(1)襟《えり》（表）にはじまって⑿左袖《ひだりそで》・カフで終る。ひとつひとつ番号を数えながら、きちんと順序どおりにアイロンをかけていく。そうしないとにはうまくいかないのだ。

三枚のシャツにアイロンをかけ、しわのないことを確認してからハンガーに吊《つ》るした。アイロンのスイッチを切り、アイロン台と一緒に押入れの中にしまってしまうと、僕の頭はいくぶんすっきりとしたようだった。

水を飲もうと思って台所に行きかけたところで、また電話のベルが鳴った。少し迷ったが、やはり受話器をとることにした。あの女がかけなおしてきたのであれば、今アイロンをかけているところだと言って、切ってしまえばいい。

しかし電話をかけてきたのはクミコだった。時計の針は十一時半をさしていた。

「元気?」と彼女は言った。

「元気だよ」と僕は言った。

「何してたの?」

「アイロンをかけてた」

「何かあったの?」、その声には微《かす》かな緊張の響きが混っていた。僕が混乱するとアイロンがけをするということをちゃんと知っているのだ。

「ただシャツにアイロンをかけただけだよ。べつに何もない」、僕は椅子《いす》に座り、左手に持っていた受話器を右手に移しかえた。「それで、何か用事?」

「あなた詩は書けるかしら?」

「詩?」と僕はびっくりしてききかえした。詩? 詩ってなんだ、いったい?

「知りあいの雑誌社で若い女の子むけの小説誌を出してるんだけど、そこで詩の投稿の選考と添削する人を探してるの。それから扉《とびら》用の短い詩も毎月ひとつ書いてほしいんだって。簡単な仕事のわりにはギャラは悪くないわよ。もちろんアルバイト程度のものだけど、それがうまくいけば編集の仕事をまわしてもらえるかもしれないし

――」

「簡単?」と僕は言った。「ちょっと待ってくれよ。僕が探してるのは法律関係の仕事なんだぜ。いったいどこで詩の添削なんて話が出てくるんだよ?」

「だってあなた高校時代に何か書いてたって言ってたじゃない」

「新聞だよ。高校新聞。サッカー大会でどこのクラスが優勝しただとか、物理の教師が階段で転んで入院しただとか、そういう愚にもつかない記事を書いてただけだ。詩じゃない。詩なんか僕には書けない」

「でも詩っていったって、女子高校生の読むような詩よ。べつに文学史に残るような立派な詩を書けっていってるわけじゃないんだから。適当にやればそれでいいのよ。わかるでしょ?」

「適当にも何も詩なんて絶対に書けない。書いたこともないし、書くつもりもない」、僕はきっぱりと言った。そんなもの書けるわけがないじゃないか。

「ふうん」と残念そうに妻は言った。「でも法律関係の仕事っていっても、みつける

のは難しいんじゃないの？」

「いろいろと声はかけてある。そろそろ返事がくるはずだし、それが駄目だったらそのときにまた考える」

「そう？　まあそれはそれでいいわ。ところで今日は何曜日だっけ？」

「火曜日」、少し考えてから僕は言った。

「じゃあ銀行に行ってガス料金と電話料金を振りこんでおいてくれる？」

「そろそろ夕飯の買い物に出るし、そのついでに銀行に寄るよ」

「夕食は何にするの？」

「まだ決めてない。買い物に行ってから考える」

「あのね」とあらたまった口調で妻は言った。「ちょっと思ったんだけれど、あなたべつに急いで仕事を探すこともないんじゃないかしら」

「どうして？」と僕はまたびっくりして言った。世界中の女が僕をびっくりさせるために電話をかけてきているみたいだ。「失業保険だってそのうちに切れるんだよ。いつまでもぶらぶらしているわけにもいかないだろう」

「でも私のお給料もあがったし、副業の方も順調だし、貯金だってあるし、贅沢《ぜいたく》さえしなきゃ十分食べていけるでしょう。今みたいにあなたが家にいて家事をやるっていうのは嫌《いや》？　そういう生活はあなたとしては面白くない？」

「わからないな」と僕は正直に言った。わからない。

「そのことはまあゆっくり考えてみて」と妻は言った。「ところで猫《ねこ》は戻ってきた？」

そう言われて、朝から猫のことをすっかり忘れていたことに気づいた。「いや、まだ戻ってきてない」

「ちょっと近所を探してみてくれる？　いなくなってもう一週間以上になるのよ」

僕は生返事をして、受話器をまた左手に移しかえた。

「たぶん路地の奥の空き家の庭にいるんじゃないかと思うの。鳥の石像のある庭よ。そこで何回か見かけたことあるから」

「路地？」と僕は言った。「でも、君はいつ路地になんか行ったんだよ？　そんな話これまでに一度も――」

「ねえ、悪いけど電話切るわね。そろそろ仕事に戻らなくちゃならないから。猫のことお願いね」

そして電話が切れた。僕はまたしばらく受話器を眺めてから、それを下に置いた。

どうしてクミコが路地になんて行かなくちゃならないんだ、と僕は思った。路地に入るには庭からブロック塀《べい》を乗り越えなくてはならないし、そんなことしてまで路地に入る意味なんて何もないのだ。

台所に行って水を飲み、それから縁側に出て猫の食事用の皿を調べてみたが、皿の中の煮干は昨夜僕がそこに盛ったまま一匹も減っていなかった。猫は戻ってきてはいない。僕は縁側に立ったまま、初夏の日差しのさしこむ我が家の狭い庭を眺めた。眺めたからといってとくに心がなごむような庭ではない。一日のうちほんの少しの時間しか日が差さないから土はいつも黒く湿っているし、植木といっても隅《すみ》の方に二株か三株ぱっとしないアジサイがあるだけだ。だいいち僕はアジサイという花があまり好きではない。近所の木立からまるでねじでも巻くようなギイイイッという規則的な鳥の声が聞こえた。我々はその鳥を「ねじまき鳥」と呼んでいた。クミコがそう名づけたのだ。本当の名前は知らない。どんな姿をしているのかも知らない。でもいずれにせよねじまき鳥は毎日その近所の木立にやってきて、我々の属する静かな世界のねじを巻いた。

やれやれ猫探しか、と僕は思った。僕は猫が昔から好きだった。そしてその猫のことだって好きだった。でも猫には猫の生き方というものがある。猫は決して馬鹿《ばか》な生き物ではない。猫がいなくなったら、それは猫がどこかに行きたくなったということだ。腹が減ってくたくたに疲れたらいつか帰ってくる。しかし結局僕はクミコのために猫を探しにいくことになるだろう。どうせ他にやることもないのだ。

四月の初めに僕はずっとつとめていた法律事務所を辞めたが、それはとくに何か理由があってのことではなかった。仕事の内容が気に入らなかったというのでもない。とくに心躍る内容の仕事とはいえないにしても給料は悪くなかったし、職場の雰囲気《ふんいき》だって友好的だった。

その法律事務所における僕の役割はひとくちでいえば専門的使い走りだった。でも僕は僕なりによく働いたと思う。自分で言うのも変かもしれないが、そういった実際的な職務の遂行に限っていえばかなり有能な人間だったと思う。理解は速いし、行動はてきぱきしているし、文句は言わないし、現実的なものの考え方をする。だから僕が仕事を辞めたいと言いだしたとき老先生——というのはその事務所の持ち主である親子の弁護士の親の方だ——は給料をもう少し上げてもいいんだがと言ってくれたくらいだった。

でも結局その事務所を辞めた。辞めて何をするというはっきりした希望や展望があったわけではない。もう一度家にこもって司法試験の勉強を始めるというのはどう考えても億劫《おっくう》だったし、それにだいいち、今となってはとくに弁護士になりたいわけでもない。ただ僕はこれから先ずっとその事務所にいて、ずっとその仕事を続けていくつもりはなかったし、もし辞めるなら今しかないだろうと思ったのだ。それ以上長くいたら、僕の人生はたぶんそこでずるずると終わってしまうことになる。なにしろもう三十になったのだ。

夕食のときに「仕事を辞めようと思うんだけど」と切りだすと、「そうね」とクミコは言った。「そうね」というのがどういう意味なのか僕にはよくわからなかったが、それっきり彼女はしばらく黙っていた。

僕も同じように黙っていると、「辞めたいのなら辞めればいいじゃない」と彼女は言った。「あなたの人生なんだもの、あなたの好きにすればいいわよ」。そしてそれだけ言ってしまうとあとは魚の骨を箸《はし》で皿の端にとりわける作業にかかった。

妻は主に健康食品や自然食料理を専門とする雑誌の編集の仕事をしていて、まずまず悪くない給料をとっていたし、他の雑誌をやっている友達の編集者からちょっとしたイラストレーションの仕事をまわしてもらっていて（彼女は学生時代ずっとデザインの勉強をしていたし、彼女の目標はフリーランスのイラストレーターになることだった）、その収入も馬鹿にはならなかった。僕の方も失業したあとしばらくは失業保険を受けとることができた。それに僕が家にいて毎日きちんと家事をすれば、外食費やクリーニング代といった余分な出費を浮かすこともできるし、暮しむきは僕が働いて給料をとっているときとたいして変わらないはずだった。

そのようにして僕は仕事を辞めた。


買い物から帰ってきて冷蔵庫に食料品を詰めこんでいるときに電話のベルが鳴った。ベルはひどく苛立《いらだ》って鳴っているように僕には聞こえた。プラスチックのパックを半分だけひきはがした豆腐をテーブルの上に置いて居間に行き、受話器をとった。

「スパゲティーはもう終わったかしら？」と例の女が言った。

「終わったよ」と僕は言った。「でもこれから猫を探しにいかなくちゃならないんだ」

「でも十分くらいなら待てるでしょ、猫を探しにいくのは。スパゲティーをゆでるのとは違うから」

どうしてかはわからないけれど、その電話を切ってしまうことができなかった。女の声には何かしら僕の注意を引くものがあった。「そうだな、まあ十分だけなら」と僕は言った。

「じゃあ私たちわかりあえるわね？」と女は静かに言った。彼女が電話の向こうで椅子にゆったりと座りなおし、脚を組んだような雰囲気が感じられた。

「それはどうかな」と僕は言った。「なにしろ十分だからね」

「十分というのはあなたが考えているよりも長いかもしれないわよ」

「君は本当に僕のことを知っているの？」と僕は訊《き》いてみた。

「もちろんよ。何度も会ったわ」

「いつ、どこで？」

「いつか、どこかでよ」と女は言った。「そんなことここでいちいちあなたに説明していたらとても十分じゃ足りないわ。大事なのは今よ。そうでしょ？」

「でも何か証拠を見せてくれないかな。君が僕のことを知ってるって証拠を」

「たとえば？」

「僕の年は？」

「三十」と女は即座に答えた。「三十と二ヵ月。それでいいかしら？」

僕は黙りこんだ。たしかにこの女は僕を知っている。しかしどれだけ考えてみても、女の声に聞き覚えがなかった。「じゃあ今度はあなたが私のことを想像してみて」、女は誘いかけるように言った。「声から想像するのよ。私がどんな女かってね。いくつくらいで、どこでどんな恰好《かっこう》をしているか、そんなこと」

「わからない」と僕は言った。

「試してごらんなさいよ」

僕は時計に目をやった。まだ一分と五秒しか経《た》っていない。「わからない」と僕は繰り返した。

「じゃあ教えてあげるわ」と女は言った。「私は今ベッドの中にいるのよ。さっきシャワーを浴びたばかりで何もつけてないの」

僕は黙って首を振った。これじゃまるでポルノ・テープじゃないか。

「何か下着をつけた方がいいかしら？　それともストッキングの方がいい？　その方が感じる？」

「なんだってかまわないよ。君の好きにすればいい。何か着たければ着ればいい。裸の方がいいのならそれでいい。でも悪いけど僕には、電話でそういう話をする趣味はないんだ。僕にはやらなくちゃならないこともあるし――」

「十分でいいのよ。十分私のために使ったからってべつにあなたの人生の致命的な損失ってわけじゃないでしょ？　とにかく私の質問に答えてよ。裸のままがいい？　それとも何かつけた方がいい？　私、いろんなもの持ってるのよ。黒いレースの下着とか」

「そのままでいいよ」と僕は言った。

「裸のままがいいのね？」

「そう、裸のままでいい」と僕は言った。これで四分だ。

「陰毛がまだ濡《ぬ》れてるのよ」、女は言った。「よくタオルで拭《ふ》かなかったの。だからまだ濡れてるの。あたたかくてしっとりと湿ってるの。すごくやわらかい陰毛よ。真っ黒で、やわらかいの。撫《な》でてみて」

「ねえ、悪いけど――」

「その下の方もずっとあたたかいのよ。まるであたためたバター・クリームみたいにね。すごくあたたかいの。本当よ。私いまどんな恰好をしていると思う？　右膝《みぎひざ》をたてて、左脚を横に開いてるの。時計の針で言うと十時五分くらい」

声の調子から、彼女が嘘《うそ》をついていないことはわかった。彼女は本当に両脚を十時五分の角度に開き、性器をあたたかく湿らせているのだ。

「唇《くちびる》を撫でて。ゆっくりとよ。そして開くの。ゆっくりとね。指の腹でゆっくりと撫でるの。そう、すごくゆっくりとよ。そしてもう片方の手で左の乳房をいじって。下の方からやさしく撫であげて、乳首をそっとつまむの。それを何度もくりかえして。私がいきそうになるまでね」

僕は何も言わずに電話を切った。そしてソファーに寝転んで、置き時計を眺めながら深いため息をついた。電話でその女と話した時間は五分か六分くらいのものだった。

十分ばかりあとでまた電話のベルが鳴ったが、今度は受話器をとらなかった。ベルは十五回鳴って、そして切れた。ベルが止《や》むと、深く冷たい沈黙があたりに下りた。

二時少し前に庭のブロック塀をのりこえて路地に下りた。路地とはいっても、それは本来的な意味での路地ではない。正直なところ、それは何とも呼びようのない代物《しろもの》なのだ。正確に言えば道ですらない。道というのは入口と出口があって、そこを辿《たど》っていけば然《しか》るべき場所に行きつける通路のことだ。しかし路地には入口も出口もなく、両端は行き止まりになっている。それは袋小路でさえない。少なくとも袋小路には入口というものがあるからだ。近所の人々はその小径をただ便宜的に路地と呼んでいるだけの話なのだ。路地は家々の裏庭のあいだを縫うようにして約三百メートルばかりつづいていた。道幅は一メートルと少しというところだが、垣根《かきね》がせりだしていたり、いろんなものが路上に置かれていたりするせいで、体を横に向けないことには通り抜けられないところも何ヵ所かある。

話によれば——その話をしてくれたのは我々にとびっきり安い家賃でその家を貸してくれている僕の叔父だった——路地にもかつては入口と出口があり、通りと通りを結ぶ近道としての機能を果たしていた。しかし高度成長期になってかつて空き地であった場所に家が新しく建ちならぶようになってからは、それに押されるような恰好で道幅もぐっと狭くなり、住人たちも自分の家の軒先や裏庭を人が行き来するのを好ましく思わなかったので、その小径はそれとなく入口を塞《ふさ》がれるようになった。はじめのうちはただ穏やかな垣根のようなもので目かくしをされているだけだったが、一人の住民が庭を拡張してブロック塀で一方の入口を完全に塞いでしまい、それに呼応するようにもう一方の入口もしっかりとした鉄条網で犬も通れないようにブロックされてしまった。住人たちはもともとその道をあまり通路として利用していなかったから、両方の入口を塞がれたところで文句を言う人間もいなかったし、防犯のためにはその方が好都合だった。だから今ではその道はまるで放棄された運河のように利用するものもなく、家と家を隔てる緩衝地帯のような役割を果たしているだけである。地面には雑草が茂り、いたるところに蜘蛛《くも》がねばねばとした巣をはっている。

妻がどういう目的でそんなところに何度も出入りしていたのか、見当もつかなかった。僕だってこれまでに二度くらいしかその「路地」を歩いたことはなかったし、クミコはただでさえ蜘蛛が嫌《きら》いなのだ。まあいいさ、と僕は思った。クミコが路地に行って猫を探せというのなら、僕は探す。家で電話のベルが鳴るのを待っているよりは、こうして外を歩きまわっていた方がずっとましだ。

いやにくっきりとした初夏の日差しが、頭上にはりだした樹木の枝の影を路地の地面にまだらに散らせていた。風がないせいで、その影は地表に固定された宿命的なしみのように見えた。あたりには物音ひとつなく、草の葉が日の光を浴びて呼吸する音までが聞こえてきそうだった。空にはいくつか小さな雲が浮かんでいたが、それらはまるで中世の銅版画の背景みたいに鮮明で簡潔だった。目につく何もかもが見事にくっきりとしているせいで、自分の肉体がなんだか茫洋《ぼうよう》としてとりとめのない存在であるように感じられる。そしてひどく暑い。

Tシャツに薄手の綿のズボンにテニスシューズという恰好だったが、それでも日なたを長く歩いていると、わきの下や胸のくぼみにうっすらと汗がにじんできた。Tシャツもズボンもその朝に夏ものの衣料を詰めた箱からひっぱりだしてきたばかりだったので、防虫剤のつんとするにおいが鼻を刺した。

あたりの家々は古くからあるものと、新しく建てられたものとに、はっきりと分かれていた。新しい家々は概して小さく、庭も狭かった。物干しが路地にまではみだしていて、タオルやシャツやシーツの列をすりぬけるようにして進まねばならないこともあった。軒先からテレビの音や水洗便所の水音がくっきりと聞こえてくることもあり、カレーを煮る匂《にお》いが漂ってくることもあった。

　それに比べると古くからある家の方からは生活の匂いはほとんど感じられなかった。垣根には目かくし用に様々な種類の灌木《かんぼく》やカイヅカイブキが効果的に配され、そのすきまからは手入れのいきとどいた庭が広がっているのが見えた。

　一軒の裏庭の隅には茶色く枯れてしまったクリスマス・ツリーがぽつんと置いてあった。ある庭にはまるで何人もの人間の少年期の名残りを集めてぶちまけたみたいに、ありとあらゆる子供の遊び道具が並んでいた。三輪車や輪なげやプラスチックの剣やゴムボールや亀《かめ》のかたちをした人形や小さなバットなんかだ。バスケット・ボールのゴールが設置された庭もあったし、立派なガーデン・チェアと陶製のテーブルが並んだ庭もあった。白いガーデン・チェアはもう何ヵ月も（あるいは何年も）使われていないようで、土ぼこりをたっぷりとかぶっていた。テーブルの上には紫色の木蓮《もくれん》の花弁が雨に打たれてはりついていた。

　別の家では、アルミ・サッシのガラス戸をとおして、居間の内部を一望することができた。革ばりのソファー・セットがあり、大型のTVセットがあり、飾り戸棚《とだな》があり（その上には熱帯魚の水槽《すいそう》と何かのトロフィーがふたつのっている）、装飾的なフロア・スタンドがあった。まるでTVドラマのセットみたいだった。大型犬用の巨大な犬舎のある庭もあったが、中には犬の姿はなく、扉《とびら》は開きっぱなしになっていた。金網はまるで誰かが何ヵ月も内側からもたれっぱなしになっていたみたいに丸く膨らんでいた。

クミコの言った空き家はその犬舎のある家の少し先にあった。それが空き家であることは一目でわかった。それも二ヵ月や三ヵ月空いていたといった生やさしいものではない。比較的新しいつくりの二階建ての家なのだが、閉めきりになった木の雨戸だけがいやに古びて、二階の窓についた手すりにも赤い錆《さび》が浮いていた。こぢんまりとした庭には、たしかに翼を広げた鳥をかたどった石像が置かれていた。石像は人の胸くらいの高さの台座に載っていたが、そのまわりにはたっぷりと雑草が茂り、とりわけ丈の高いセイタカアワダチソウは先端を鳥の足もとにまで届かせていた。鳥は——それがどんな種類の鳥であるのかは僕にもわからなかったけれど——こんな不愉快な場所からは少しでも早く飛び立とうと翼を広げているみたいに見えた。その石像の他には、庭には装飾らしい装飾はなかった。軒下には古ぼけたプラスチックのガーデン・チェアがいくつか重ねられて、となりではツツジが妙に現実感のない鮮やかな色あいの赤い花をつけていた。あとは雑草しか目につかない。

僕は胸の高さまでの金網のフェンスにもたれて、しばらく庭を眺めていた。いかにも猫《ねこ》が好みそうな庭だったが、猫の姿は見あたらなかった。屋根の上にたったTVアンテナの先に鳩《はと》が一羽とまって、単調な声をあたりに響かせているだけだった。石の鳥の影は生い茂った雑草の葉の上に落ちて、ばらばらな形に分断されていた。

ポケットからレモンドロップを取り出し、包み紙を開いて口の中に入れた。仕事を辞めたのを機会に煙草《たばこ》をやめたのだが、そのかわりレモンドロップを手元から離せなくなっていた。「レモンドロップ中毒」と妻は言った、「今に虫歯だらけになるわよ」。でも僕はそれをなめないわけにはいかなかった。庭を眺《なが》めているあいだ、鳩はTVアンテナの上に立って、事務員が伝票の束にナンバーを打っているみたいにずっと同じ調子で規則正しく鳴きつづけていた。どれくらいの時間その金網にもたれかかっていたのか、僕にはわからない。ドロップが口の中で甘ったるくなったので、半分ほどに減ったそのドロップを地面に捨てたのを覚えている。それからまた僕は鳥の石像の影のあたりに視線を戻した。そのときにうしろで誰かが僕のことを呼ぶ声が聞こえたような気がした。

振りむくと、向かいの家の裏庭に女の子が立っていた。小柄《こがら》で、髪はポニーテイルにしている。飴色《あめいろ》の縁の濃いサングラスをかけ、袖《そで》のないライトブルーのTシャツを着ている。そこからつきだした細い両腕は、まだ梅雨もあけていないというのに、むらなく綺麗《きれい》に日焼けしていた。彼女は片手をショートパンツのポケットにつっこみ、もう一方の手を腰までの高さの竹の開き戸の上に置いて不安定に体を支えていた。彼女と僕のあいだには一メートルくらいの距離しかなかった。

「暑いわね」と娘が僕に言った。

「暑いね」と僕も言った。

それだけの言葉を交わすと、彼女はそのままの恰好でしばらく僕を見ていた。それからショートパンツのポケットからショート・ホープの箱を出して一本抜きとり、口にくわえた。口は小さく、上唇がほんの少し上にめくれあがっている。そして慣れた手つきで紙マッチを擦《す》って、煙草に火をつけた。娘が首をかがめると、耳のかたちがくっきりと見えた。つるりとした綺麗な耳で、ついさっきできあがったばかりという感じだった。耳のほっそりした輪郭に沿って短いうぶ毛が光っている。

娘はマッチを地面に捨て、唇をすぼめて煙を吹きだし、思いだしたように僕の顔を見あげた。レンズの色が濃くて、おまけに光をはねかえすつくりになっていたので、その奥にある目を見とおすことはできなかった。「近所の人？」と娘が訊いた。

「そう」と答えて、自分の家のある方向を指さそうとしたが、それが正確にどちらの方向に位置しているのかわからなくなっていた。奇妙な角度に折れまがった曲り角をいくつも通り抜けてきたせいだ。それで僕は適当な方角を指さしてごまかした。

「猫を探してるんだ」と汗ばんだ手のひらをズボンでこすりながら言い訳するみたいに言った。「一週間ばかり前から家に戻ってこないんだけど、このへんでみかけた人がいるんだよ」

「どんな猫？」

「大柄な雄猫だよ。茶色の縞《しま》で、尻尾《しっぽ》の先が少し曲がって折れてる」

「名前は？」

「ノボル」と僕は答えた。「ワタヤ・ノボル」

「猫にしちゃずいぶん立派な名前ね」

「女房の兄貴の名前なんだ。感じが似てるんで冗談でつけたんだよ」

「どんな風に似てるの？」

「なんとなく似てるんだ。歩き方とか、どろんとした目つきとかがね」

娘ははじめてにっこりと笑った。表情が崩れると、彼女は最初の印象よりずっと子供っぽく見えた。十五か十六というところだろう。わずかにめくれあがった上唇が不思議な角度に宙につきだしていた。撫でて、という声が聞こえたような気がした。それはあの電話の女の声だった。僕は手の甲で額の汗を拭《ぬぐ》った。

「茶色の縞猫で、尻尾の先が少し折れ曲がっているのね」と娘は確認するようにくりかえした。「首輪とかそういうのは？」

「のみとり用の黒いのがついてる」と僕は言った。

娘は片手を木戸の上に置いたまま、十秒か十五秒くらい考えこんでいた。それから短くなった煙草を足もとに落として、サンダルの底で踏んだ。

「その猫なら見たかもしれない」と娘は言った。「尻尾の曲がり方まではわかんないけど、茶色のトラ猫で、大きくて、たぶん首輪をつけてたわ」

「見たのはいつごろ？」

「さあ、いつごろかしら？　いずれにしてもこの三、四日のことね。うちの庭は近所の猫のとおり道になっていて、いろんな猫がしょっちゅう行き来してるのよ。みんな滝谷さんの家からうちの庭を横切って、あの宮脇さんの庭に入っていくの」

娘はそう言って、向かいの空き家を指さした。そこではあいかわらず石の鳥が翼を広げ、セイタカアワダチソウが初夏の日差しを受け、TVアンテナの上では鳩が単調な声で鳴きつづけていた。

「ねえ、どうかしら、うちの庭で待ってみれば。どうせ猫はみんなうちを通ってお向かいに行くんだし、それにこのあたりをうろうろしてると泥棒《どろぼう》だと思われて警察に通報されちゃうわよ。これまでに何度もそういうのあったんだから」

僕は迷った。

「いいのよ。うちにはどうせ私しかいないし、二人で庭で日光浴しながら猫がとおりかかるのを待ってればいいいじゃない。私、目がいいから役に立つわよ」

僕は腕時計を見た。二時三十六分だった。今日いちにち僕に残された仕事といえば、日が暮れるまでに洗濯《せんたく》ものをとりこんで夕食の支度をすることだけだった。

木戸を開けて中に入り、娘のあとについて芝生の上を歩いていくと、彼女が右脚を軽くひきずっていることに気づいた。彼女は何歩か歩くと立ちどまって、僕の方を振り向いた。

「バイクのうしろに乗ってて、放《ほう》り出されちゃったの」と娘はどうでもいいことみたいに言った。「ちょっと前のことだけど」

芝生の庭の切れたあたりに大きな樫《かし》の木があり、その下にキャンバス地のデッキチェアがふたつ並んでいた。片方の背もたれにはブルーの大きなタオルがかかり、もうひとつのデッキチェアの上には新しいショート・ホープの箱と灰皿とライターと大型のラジオ・カセットと雑誌が雑然と置かれていた。ラジオ・カセットのスピーカーからはハード・ロックが小さな音で流れていた。彼女はデッキチェアの上にちらばったものを芝生の上におろし、そこに僕を座らせ、ラジオ・カセットの音楽を止めた。椅《い》子《す》に腰を下ろすと、樹木のあいだから路地を隔てた空き家が見とおせた。鳥の石像もセイタカアワダチソウも金網の塀《へい》も見えた。娘はきっとここに座って僕の姿を観察していたのだろう。

広い庭だった。芝生がなだらかな斜面を作って広がり、ところどころに木立が配されていた。デッキチェアの左手にはコンクリートで固められたかなり大きな池があったが、ずっと前に水が抜かれたままになっているらしく、淡い緑色に変色した底が太陽にさらされていた。背後の木立のうしろには古い西洋風の母屋《おもや》が見えたが、家じたいはさして大きくはなかったし、贅沢《ぜいたく》な作りにも見えなかった。ただ庭だけが広く、なかなか丁寧に手入れされていた。

「これだけ広い庭の手入れをするのは大変だろうね」と僕はまわりを見まわして言った。

「どうかしら」と娘は言った。

「昔、芝刈り会社でアルバイトしてたことがあるんだ」と僕は言った。

「へえ?」と興味なさそうな声で娘は言った。

「いつも君ひとりなの?」と僕は訊《き》いた。

「ええ、そうよ。昼間は私がいつもひとりでここにいるの。午前中と夕方にはお手伝いのおばさんがくるけど、あとはいつも私ひとり。ねえ、何か冷たいもの飲まない？ビールもあるわよ」

「いや、いらない」

「本当？　遠慮しなくていいのよ」

僕は首を振った。「君は学校に行かないの？」

「あなたは仕事に行かないの？」

「行こうにも仕事がない」

「失業してるの？」

「まあね。このあいだ辞めたんだ」

「それまでどんな仕事をしてたの？」

「弁護士の使い走りのような仕事だよ」と僕は言った。「役所や官庁に行っていろんな書類をあつめたり、資料の整理をしたり、判例をチェックしたり、裁判所の事務手続きをしたりね、そんなこと」

「でも辞めたのね？」

「そう」

「奥さんは働いてるの？」

「働いてる」と僕は言った。

向かいの家の屋根で鳴いていた鳩はいつの間にかどこかに行ってしまったようだった。気がつくと僕は深い沈黙のようなものにとりまかれていた。

「猫はいつもあのあたりを通るのよ」、娘は芝生の向こう側を指さした。「あの滝谷さんの垣根のうしろに焼却炉が見えるでしょ？　あそこのわきから出てきて、ずっと芝生をつっきって、木戸の下をくぐって、お向かいの庭に行くの。いつも同じコースよ」

娘はサングラスを額の上にあげ、目を細めてあたりを見回し、それからまたサングラスをかけて、煙草の煙を吐きだした。サングラスをはずすと、左目の脇《わき》に長さ二センチほどの傷が見えた。一生あとが残りそうなくらい深い傷だった。たぶんその傷を隠すためにこの子は濃いサングラスをかけているんだろう。特に美しいという顔だちではないけれど、そこには何か人の心を引くものがあった。活発な目の動きと、特徴のある唇《くちびる》のかたちのせいだろう。

「宮脇さんのことは知ってる？」

「知らない」と僕は言った。

「その空き家に住んでいた人。いわゆるまともな人たち。娘が二人いて、どちらも有名な私立女子校に通っていたわ。御主人はファミリー・レストランを二つか三つ経営してたのよ」

「どうしていなくなったの？」

彼女は知らないという風に小さく口をすぼめた。

「借金か何かじゃないかしら。夜逃げみたいにしてばたばたといなくなっちゃったの。もう一年になるかしらね。雑草はぼうぼう生えるし、猫はふえるし、不用心だし、お母さんはいつも文句言ってるわ」

「そんなに沢山猫がいるの？」

娘は煙草を口にくわえたまま空を見上げた。

「いろんな猫がいるわ。毛がはげちゃったのもいるし、片目のもいるし……目がとれちゃって、そこが肉のかたまりになっちゃってるの。すごいでしょ」

僕はうなずいた。

「親類に指が六本ある人がいるのよ。私より少し年上の女の子なんだけど、小指のとなりにもう一本赤ん坊の指のような小さいのがついているの。でもいつも器用に折りこんでいるから、ちょっと見にはわからないの。綺麗な子よ」

「ふうん」

「そういうのって遺伝すると思う？　なんていうか……血統的に」

遺伝のことはよくわからないと僕は言った。

彼女はしばらく黙っていた。僕はドロップをなめながら、猫のとおり道をじっとにらんでいた。猫はまだ一匹も姿を見せていなかった。

「ねえ、本当に何か飲まない？　私はコーラを飲むけれど」と娘が言った。

いらない、と僕は答えた。

娘がデッキチェアから立ちあがって脚を軽くひきずりながら木立の陰に消えてしまうと、僕は足もとの雑誌を手にとってぱらぱらとページを繰ってみた。それは僕の予想に反して男性向けの月刊誌だった。真ん中のグラビアでは性器のかたちと陰毛がすけて見える薄い下着をつけた女が、スツールの上に座って不自然な姿勢で両脚を大きく開いていた。僕は雑誌をもとの場所に戻し、胸の上で両腕を組んで再び猫のとおり道に目を向けた。

ずいぶん長い時間がたってから、コーラのグラスを手に娘が戻ってきた。それは暑い午後だった。デッキチェアの上で太陽に身をさらしてじっとしていると、頭がぼんやりとして物を考えるのがだんだん億劫《おっくう》になってきた。

「ねえ、もしあなたが好きになった女の子に指が六本あることがわかったら、あなたはどうする？」と娘は話のつづきを始めた。

「サーカスに売るね」

「本当に？」

「冗談だよ」と僕は笑って言った。「たぶん気にしないと思うな」

「子供に遺伝する可能性があるとしても？」

少しそれについて考えてみた。

「気にしないと思うね。指が一本多くったって、べつに支障はない」

「乳房が四つあったとしたら？」

それについてもしばらく考えてみた。

「わからない」と僕は言った。

乳房が四つ？　話にきりがなさそうだったので、話題をかえてみることにした。

「君はいくつ？」

「十六」と娘は言った。「このあいだ十六になったばかりよ。高校の一年生」

「それで、学校はずっと休んでるの？」

「長く歩くとまだ脚が痛むのよ。目のわきに傷もついちゃったし。けっこううるさい学校でね、バイクから落ちて怪我《けが》したなんてわかったらなんだかんだ言われそうだし……だもんで病欠ってことにしてあるの。べつに一年休学したっていいのよ。急いで高校二年生になりたいわけじゃないから」

「ふうん」

「でもさ、さっきの話だけど、あなた指が六本ある女の子となら結婚してもいいけど、乳房が四つあるのは嫌《いや》だって言ったわね」

「嫌だとは言ってない。わからないって言ったんだ」

「どうしてわからないの？」

「うまく想像できないから」

「指が六本っていうのは想像できるの？」

「なんとかね」

「どこに差があるのかしら？　六本の指と四つの乳房に？」

考えてみたが、うまい説明は思いつけなかった。

「ねえ、私って質問しすぎる？」

「そう言われることがあるの？」

「ときどきね」

僕は猫《ねこ》のとおり道の方に視線を戻した。俺《おれ》はいったいここで何をしているんだろう、と僕は思った。猫なんてまだ一匹も姿を見せていないじゃないか。僕は胸の上で手を組んだまま、二十秒か三十秒目を閉じた。じっと目を閉じていると、体の様々な部分に汗が浮かんでいるのが感じとれた。太陽の光は奇妙な重みを持って、僕の体に注いでいた。娘がグラスを振ると、氷がカウベルのような音を立てた。

「眠かったら眠っていいわよ。猫の姿が見えたら起こしてあげるから」と娘が小さな声で言った。

僕は目を閉じたまま黙ってうなずいた。

風はなく、あたりには物音ひとつ聞こえなかった。鳩《はと》はもうどこかずっと遠くに行ってしまったようだった。電話の女のことを考えてみた。僕は本当にその女のことを知っていたのだろうか？　その声にもしゃべり方にも心あたりがない。でもその女は僕のことをちゃんと知っている。まるでキリコの絵の中の情景のように、女の影だけが路上を横切って僕の方に長くのびていた。しかしその実体は僕の意識の領域をはるか遠く離れたところにあった。僕の耳もとでいつまでもベルが鳴りつづけていた。

「ねえ、寝ちゃった？」と娘が聞こえるか聞こえないかといったような声で尋ねた。

「寝てない」

「もっと近くに寄っていい？　小さな声でしゃべった方が私、楽なの」

「かまわないよ」と僕は目を閉じたまま言った。

娘は自分のデッキチェアを横にずらせて僕の座ったデッキチェアにくっつけたようだった。木枠《きわく》の触れあうかたんという乾いた音がした。

変だな、と僕は思った。目を開いて聞いているときの娘の声と目を閉じて聞いているときの娘の声は、まるで違って聞こえる。

「少ししゃべってていい？」と娘は言った。「すごく小さな声でしゃべるし、返事しなくていいし、途中でそのまま眠っちゃってもいいから」

「いいよ」

「人が死ぬのって、素敵よね」

彼女は僕のすぐ耳もとでしゃべっていたので、その言葉はあたたかい湿った息と一緒に僕の体内にそっともぐりこんできた。

「どうして？」と僕は訊いた。

娘はまるで封をするように僕の唇の上に指を一本置いた。

「質問はしないで」と彼女は言った。「それから目も開けないでね。わかった？」

僕は彼女の声と同じくらい小さくうなずいた。

彼女は僕の唇から指を離し、その指を今度は僕の手首の上に置いた。

「そういうのをメスで切り開いてみたいって思うの。死体をじゃないわよ。死のかたまりみたいなものをよ。そういうものがどこかにあるんじゃないかって気がするのね。ソフトボールみたいに鈍くって、やわらかくて、神経が麻痺《まひ》してるの。それを死んだ人の中からとりだして、切り開いてみたいの。いつも思うのよ、そういうのって中がどうなってるんだろうってね。ちょうど歯みがきのペーストがチューブの中で固まるみたいに、中で何かがコチコチになってるんじゃないかしら。そう思わない？　いいのよ、返事しないで。まわりがぐにゃぐにゃとしていて、それが内部に向かうほどだんだん硬くなっていくの。だから私はまず外の皮を切り開いて、中のぐにゃぐにゃしたものをとりだし、メスとへらのようなものを使ってそのぐにゃぐにゃをとりわけていくの。そうすると中にいくにしたがって、だんだんそのぐにゃぐにゃが硬くなっていってね、最後には小さな芯《しん》みたいになってるの。ボールベアリングのボールみたいに小さくて、すごく硬いのよ。そんな気しない？」

娘は二、三度小さな咳《せき》をした。

「最近いつもそのこと考えるの。きっと毎日暇なせいね。何もすることがないと考えがどんどんどんどん遠くまで行っちゃうのよ。考えが遠くまで行きすぎて、うまくあとが辿《たど》れなくなるの」

そして娘は僕の手首につけた指を離し、グラスをとってコーラの残りを飲んだ。氷の音でグラスが空になったことがわかった。

「猫のことはちゃんと見張ってるから、心配しないで。ワタヤ・ノボルの姿が見えたら教えてあげる。だからそのまま目を閉じてて。ワタヤ・ノボルは今頃《いまごろ》きっとこの近くを歩いているはずよ。きっと今に現れるわよ。ワタヤ・ノボルは草のあいだを通って、塀の下をくぐり抜けて、どこかでたちどまって花の匂《にお》いをかいだりしながら、少しずつこちらに近づいているのよ。そんな姿を思い浮かべて」

でも僕に思い浮かべられるのは、逆光を浴びた写真のようなひどく漠然《ばくぜん》とした猫の像にすぎなかった。太陽の光が瞼《まぶた》をとおり抜けて僕の暗闇《くらやみ》を不安定に拡散させていたし、それに僕はどれだけ努力しても猫の姿を正確に思いだすことができなかったのだ。思いだせるその猫の姿は、まるで失敗した似顔絵のようにいびつで不自然だった。特徴だけは似ているのだが、肝心な部分が欠落している。彼がどのような歩き方をしたのかさえ思いだせないのだ。

娘は僕の手首にもう一度指を置いて、形の定まらない奇妙な図形をそこに描いた。するとまるでそれに呼応するように、これまであったものとはべつの種類の暗闇が僕の意識の中にもぐりこんできた。おそらく僕は眠ろうとしているのだろう、と僕は思った。眠りたくはなかったけれど、眠らないわけにはいかなかった。キャンバス地のデッキチェアの上で、僕の体は他人の死体のようにずっしりと重く感じられた。

そんな暗闇の中で、僕はワタヤ・ノボルの四本の脚だけを思い浮かべた。足のうらにゴムのようなやわらかいふくらみがついた四本の静かな茶色の脚だ。そんな足が音もなく、どこかの地面を踏みしめている。

どこの地面だ？

十分間だけでいいのよ、と電話の女が言った。いや違う、と僕は思った、ときには十分間は十分間ではないんだ。それは伸びたり縮んだりするんだ。僕にはそれがわかる。

目が覚めたとき、僕はひとりだった。わきにぴたりとつきつけられたデッキチェアの上に娘の姿はなかった。タオルと煙草《たばこ》と雑誌はそのままだったが、コーラのグラスとラジオ・カセットは消えていた。

日は少し西に傾いて、樫《かし》の木の枝の影が僕の膝《ひざ》にまで伸びていた。腕時計は四時十五分を示している。椅子《いす》の上に体を起こしてあたりを見まわした。広い芝生、干あがった池、垣根《かきね》、石像の鳥、セイタカアワダチソウ、ＴＶアンテナ。猫の姿はない。そして娘の姿も。

僕はデッキチェアに腰かけたまま、猫のとおり道に目をやり、娘が戻ってくるのを待った。しかし十分が過ぎても、猫も娘もあらわれなかった。あたりには動くものひとつない。眠っていたあいだにひどく年をとってしまったような気がした。

僕は立ちあがり、母屋《おもや》の方に目をやった。しかしそこにも人の気配はない。出窓のガラスが西日を受けて眩《まぶ》しく光っているだけだ。仕方なく芝生の庭を横切って路地に出て、家にひきかえした。猫はみつからなかったけれど、でもとにかく探すだけは探したのだ。

家に戻ると僕は洗濯《せんたく》ものをとりこみ、簡単な食事の用意をした。五時半に電話のベルが十二回鳴ったが、受話器をとらなかった。ベルが鳴りやんだあとも、その余韻は部屋の淡い夕闇の中にちりのように漂っていた。置時計がその硬い爪先《つまさき》で空間に浮かんだ透明な板をこつこつと叩《たた》いていた。

ねじまき鳥たちについての詩を書いてみたらどうだろうと僕はふと思った。しかしどうしてもその最初の一節が浮かんでこなかった。それにだいいち女子高校生たちがねじまき鳥についての詩を読んで喜ぶとも思えなかった。

クミコが戻ってきたのは七時半だった。この一月ばかり、彼女の帰宅時間はだんだん遅くなっていた。八時を過ぎることは珍しくなかったし、ときには十時を過ぎることだってあった。僕が家にいて食事の支度をしているから、急いで帰宅する必要がなくなったせいもある。ただでさえ人手が足りない上に、同僚の一人がこのところ病気で休みがちなのだと彼女は説明した。

「ごめんね。なかなか打ちあわせが終わらなくて」と彼女は言った。「アルバイトの女の子がぜんぜん役に立たないものだから」

僕は台所に立って魚のバター焼きとサラダと味噌汁《みそしる》をつくった。そのあいだ妻は台所のテーブルの前に座ってぼんやりとしていた。

「ねえ、五時半頃あなたどこかに出ていた？」と彼女が尋ねた。「少し遅くなると言おうと思ってうちに電話かけたんだけど」

「バターが切れたから買いに行ったんだ」と僕は嘘《うそ》をついた。

「銀行には寄ってくれた？」

「もちろん」と僕は答えた。

「猫は？」

「みつからない。君に言われたとおり路地の空き家にも行った。でも影もかたちもない。もっと遠くの方に行っちゃったんじゃないのかな」

クミコは何も言わなかった。

食事のあとで僕が風呂《ふろ》から出てくると、クミコは電灯を消した居間の暗闇の中にひとりでぽつんと座っていた。グレイのシャツを着て暗闇の中にじっとうずくまっていると、彼女はまるで間違った場所に置き去りにされた荷物のように見えた。

僕はバスタオルで髪を拭《ふ》いて、クミコの向かい側のソファーに座った。

「きっともう猫は死んじゃったのよ」、クミコは小さな声で言った。

「まさか」と僕は言った。「どこかで好きに遊びまわってるんだよ。そのうちに腹を減らして戻ってくるさ。前にも同じようなことが一度あったじゃないか。高円寺に住んでる頃にやっぱり……」

「今度は違うのよ。今度はそういうのじゃないの。私にはわかるのよ。猫はもう死んじゃって、どこかの草むらの中で腐ってるのよ。空き家の庭の草むら探してくれた？」

「おい、いくら空き家だって他人の家だよ、勝手に入れるわけないだろう」

「じゃああなたはいったいどこを探したのよ」と妻は言った。「あなたはあの猫をみつけようとなんかしてないのよ。だから猫はみつからないのよ」

僕はため息をついてもう一度バスタオルで髪を拭《ぬぐ》った。僕は何かを言おうとしたが、クミコが泣いているのを知ってやめた。まあ仕方ないな、と僕は思った。それは結婚直後から飼い始めて、彼女がずっと可愛《かわい》がっていた猫なのだ。僕は風呂場の脱衣籠《だついかご》にバスタオルを放《ほう》りこみ、台所に行って冷蔵庫からビールを出して飲んだ。出鱈目《でたらめ》な一日だった。出鱈目な年の、出鱈目な月の、出鱈目な一日だった。

ワタヤ・ノボル、お前はどこにいるのだ、と僕は思った。ねじまき鳥はお前のねじを巻かなかったのか？

まるで詩の文句だな。

ワタヤ・ノボル
お前はどこにいるのだ？
ねじまき鳥はお前のねじを

巻かなかったのか？

ビールを半分ばかり飲んだところで電話のベルが鳴りはじめた。

「出てくれよ」と僕は居間の暗闇に向かってどなった。

「嫌よ。あなたが出てよ」とクミコが言った。

「出たくない」と僕は言った。

答えるもののないままに電話のベルは鳴りつづけた。ベルは暗闇の中に浮かんだちりを鈍くかきまわしていた。僕もクミコもそのあいだ一言も口をきかなかった。僕はビールを飲み、クミコは声を立てずに泣きつづけていた。僕は二十回までベルの音を数えていたが、それからあとはあきらめて鳴るにまかせた。いつまでもそんなものを数えつづけるわけにはいかないのだ。

2
満月と日蝕、納屋の中で死んでいく馬たちについて

ひとりの人間が、他のひとりの人間について十全に理解するというのは果して可能なことなのだろうか。

つまり、誰かのことを知ろうと長い時間をかけて、真剣に努力をかさねて、その結果我々はその相手の本質にどの程度まで近づくことができるのだろうか。我々は我々がよく知っていると思い込んでいる相手について、本当に何か大事なことを知っているのだろうか。

そんなことを真剣に考えるようになったのは、法律事務所での仕事を辞めて一週間ばかりたった頃からだった。それまでの人生の過程において、僕はそのような種類の疑問を本当に切実に抱いたことは一度もなかった。どうしてだろう？　たぶん自分の生活を確立するという作業で手いっぱいだったのだろう。そして自分について考える

のに忙しすぎたのだろう。

世の中の重要な物事のはじまりが大抵そうであるように、僕がそのような疑問を抱くようになったきっかけは、非常に些細《ささい》なことだった。クミコが急いで朝食を済ませて家を出ていったあとで、洗濯《せんたく》ものを洗濯機に放り込み、そのあいだにベッドを直し、皿を洗い、床に掃除機をかけた。それから猫《ねこ》と一緒に縁側に座って、新聞の求人案内やらバーゲンの広告やらを眺《なが》めた。昼になると、簡単にひとりぶんの昼食を作って食べ、スーパーマーケットに買い物に行った。夕食の買い物をすませ、バーゲン品のコーナーで洗剤を買い、ティッシュペーパーとトイレットペーパーを買った。それから家に帰って夕食の支度をし、ソファーに寝ころんで本を読みながら妻が帰ってくるのを待った。

まだ失業して間もない頃だったので、そんな生活は僕にはむしろ新鮮だった。もう満員電車に乗って会社に行かなくてもいいし、会いたくない人間に会う必要もない。そして何よりも素晴らしいのは、好きなときに好きな本を読むことができることだった。こんな生活がいつまで続くのかはわからない。でも僕は一週間続いたこののんびりとした生活が少なくとも今のところは気に入っていたし、先のことはなるべく考えないようにつとめていた。これはおそらく僕の人生にとっての休暇のようなものなのだ。いつかは終わる。でも終わるまでは楽しもうじゃないか、と。

しかしその夕方、僕はいつものようには読書の喜びに没頭することができなかった。クミコが帰ってこなかったからだ。彼女はだいたい遅くとも六時半までには家に帰ってきたし、それよりたとえ十分でも遅れそうなときには必ず連絡を入れてきた。そういうことに関しては几帳面《きちょうめん》すぎるくらい几帳面な性格だった。でもその日、七時を過ぎてもクミコは帰宅しなかったし、電話もかかってこなかった。僕はクミコが帰ってきたらすぐに料理にかかれるように支度を整えていた。たいした料理ではない。薄切りの牛肉と、玉葱《たまねぎ》とピーマンともやしを中華鍋《ちゅうかなべ》で強火で一緒に炒《いた》め、塩と胡椒《こしょう》を振り、醤油《しょうゆ》をかける。そして最後にビールをさっとかける。一人暮らしをしているときによく作った。ご飯も炊《た》いてあるし、味噌汁も温めてあったし、いつでも料理にかかれるように野菜も大皿にきちんと切りわけてあった。しかしクミコは帰ってこなかった。

僕は腹が減っていたから、自分のぶんだけでも先に作って食べてしまおうかと思った。でも何故《なぜ》か気が進まなかった。とくに根拠はないのだけれど、それは不適当な行為であるように感じられたのだ。

台所のテーブルの前に座ってビールを飲み、食品棚《しょくひんだな》の奥の方に残っていた湿りかけのソーダ・クラッカーを何枚か齧《かじ》った。そして時計の短針がそろそろと七時半のポイントに近づき、そしてそのまま通過していくのをただぼんやりと眺めていた。

結局クミコが帰ってきたのは九時過ぎだった。彼女はぐったりとした顔をしていた。目が赤く、血走ったようになっていた。それは悪い兆候だった。彼女の目が赤くなるときには、必ず何か良くないことが起こる。僕は自分に言い聞かせた。〈クールにやろう。余計なことは何も言わないように。静かに、自然に、刺激しないように〉

「ごめんなさい。どうしても仕事が片づかなかったのよ。なんとか電話を入れようと思ってたんだけれど、いろいろとわけがあって連絡もできなくて」

「いいよ。大丈夫、気にしないでいい」と僕はなんでもなさそうに言った。そして実際の話、僕はべつに気分を悪くしていたわけではなかった。僕にだってそういう経験は何度かあった。外に出て仕事を持つというのは生易しいことではない。庭に咲いているいちばん綺麗《きれい》な薔薇《ばら》の花を一本摘んで、それを通り二つ隔てた先で風邪で寝込んでいるおばあさんの枕元《まくらもと》に届けて、それで一日が終わるというような平和でこぎれいな代物《しろもの》ではない。ときにはろくでもない奴《やつ》らと一緒にろくでもないことをしなくてはならないこともある。どうしても家に電話を入れる機会を捉《とら》えることができないという場合だってある。「今夜は帰りが遅くなるから」という電話を家にかけるくらい三十秒あれば足りる。電話なんてどこにだってある。でもそれができないこともあるのだ。

そして僕は料理にとりかかった。ガスの火を点《つ》け、鍋に油を引いた。クミコはビールを冷蔵庫から出し、食器棚からグラスを出した。そして僕がこれから作ろうとしている料理を点検した。それから何も言わずにテーブルの前に座り、ビールを飲んだ。彼女の顔つきからすると、ビールはあまり美味《うま》くはないようだった。

「先に食事を済ませてくれればよかったのに」と彼女は言った。

「べつにかまわないよ。そんなに腹が減ってたわけじゃないから」と僕は言った。

僕が肉と野菜を炒めているあいだ、クミコは立ち上がって洗面所に行った。洗面台で顔を洗って、歯をみがく音が聞こえた。少しあとで洗面所から出てきたとき、彼女は両手に何かを持っていた。昼間にスーパーマーケットで買ってきたティッシュペーパーとトイレットペーパーだった。

「どうしてこんなものを買ってきたのよ?」と彼女は疲れた声で僕に言った。

僕は中華鍋を手に持ったままクミコの顔を見た。それから彼女が手に持っているティッシュペーパーの箱と、トイレットペーパーの包みを見た。彼女が何を言おうとしているのか、僕には見当がつかなかった。

「よくわかんないな」と僕は言った。「ただのティッシュペーパーとトイレットペーパーじゃないか。ないと困るだろう。まだ少しストックはあるけど、余って腐るものじゃないよ」

「ティッシュペーパーとトイレットペーパーを買うのはちっともかまわないわよ。当たり前でしょう。私が訊《き》いているのは、どうして青いティッシュペーパーと、花柄のついたトイレットペーパーを買ってきたりしたのっていうことよ」

「まだよくわからないな」、僕は我慢強く言った。「たしかに青いティッシュペーパーと、花柄《はながら》のトイレットペーパーを僕は買ったよ。ふたつともバーゲンで安かったんだ。青いティッシュペーパーで鼻をかんで鼻が青くなるわけじゃない。べつに何も悪くないじゃないか」

「悪いわよ。私は青いティッシュペーパーと、柄のついたトイレットペーパーが嫌《きら》いなの。知らなかった？」

「知らなかった」と僕は言った。「でもそれを嫌う理由は何かあるのかな？」

「どうして嫌いかなんて、私にも説明できないわよ」と彼女は言った。「あなただって電話機のカバーやら、花柄の魔法瓶《まほうびん》やら、鋲《びょう》のついたベルボトムのジーンズは嫌いでしょう。私がマニキュアをするのを嫌《いや》がるじゃない。そんな理由をひとつひとつ説明はできないでしょう。それはただの好き嫌いなのよ」

僕にはそれらの理由を全部説明することはできた。でももちろんしなかった。「わかった。それはただの好き嫌いだ。よくわかった。でも君は結婚してからこの六年間に青いティッシュペーパーと、柄のついたトイレットペーパーをただの一度も買わなかったのか？」

「買わなかった」、クミコはきっぱりと言った。

「本当に？」

「本当によ」とクミコは言った。「私の買うティッシュペーパーの色は白か黄色かピンク、それだけ。そして私の買うトイレットペーパーはいつも絶対に無地なの。あなたがこれまで私と一緒に暮らしていてそれに気づかなかったなんて驚きだわ」

僕にとってもそれは驚きだった。この六年間のあいだ、僕は青いティッシュペーパーと柄のついたトイレットペーパーをただの一度も使わなかったのだ。

「それからもうひとつついでに言わせてもらえるなら」と彼女は言った。「私は牛肉とピーマンを一緒に炒めるのが大嫌いなの。それは知ってた？」

「知らなかった」

「とにかく嫌いなのよ。理由は訊かないで。何故かはわからないけれど、その二つが鍋の中で一緒に炒められるときの匂《にお》いが我慢できないの」

「君はこの六年間、一度も牛肉とピーマンを一緒に炒めなかったのかな？」

彼女は首を振った。「ピーマンのサラダは食べる。牛肉と玉葱は一緒に炒める。でも牛肉とピーマンを炒めたことは一度もないわ」

「やれやれ」と僕は言った。

「でもそのことを疑問に思ったことは一度もなかったのね？」

「だってそんなこと気がつきもしなかったよ」と僕は言った。僕は結婚してからこのかた牛肉とピーマンを一緒に炒めたものを食べたことがあるかどうか考えてみた。でも思いだせなかった。

「あなたは私と一緒に暮らしていても、本当は私のことなんかほとんど気にとめてもいなかったんじゃないの？　あなたは自分のことだけを考えて生きていたのよ、きっと」と彼女は言った。

僕はガスをとめて、鍋をレンジの上に置いた。「ねえ、ちょっと待ってくれよ。そんな風にいろんなことを混同しないでほしいな。たしかに僕はティッシュペーパーとトイレットペーパーのことと、それから牛肉・ピーマンの関係については不注意だったかもしれない。それは認める。でもだからといって、僕が君のことをずっと気にもとめていなかったということにはならないと思うよ。僕は実際のところティッシュペーパーの色なんてなんだってかまわないんだ。もちろん真っ黒なティッシュペーパーが机の上に置いてあったら、それはびっくりすると思う。でもそれが白だろうが、青だろうが、僕には興味のないことなんだよ。牛肉とピーマンにしても同じだ。僕は牛肉とピーマンが一緒に炒めてあってもなくても、どちらでもいいんだ。牛肉とピーマンを一緒に炒めるという行為がこの世界から半永久的に失われたとしても、僕はちっともかまわないんだ。それは君という人間の本質とはほとんど関係のないことなんだよ。そうだろう？」

クミコはそれに対しては何も言わなかった。グラスの中に残っていたビールを二口で飲み干し、それから黙ってテーブルの上の空き瓶を見ていた。

僕は鍋の中にあるものを全部ゴミ箱に捨てた。牛肉とピーマンと玉葱ともやしが、その中に収まった。不思議なものだな、と僕は思った。一瞬前までそれは食品だった。今ではただのゴミだ。僕はビールの栓《せん》を開けて、瓶のまま飲んだ。

「どうして捨てたの？」と彼女は訊いた。

「君がそれを嫌いだからだ」

「あなたが食べればいいじゃない」

「食べたくない」と僕は言った。「牛肉とピーマンを一緒に炒めたものがもう食べたくなったんだ」

妻は首をすくめた。「お好きに」と彼女は言った。

それから彼女はテーブルに両腕を置き、その上に顔を伏せた。彼女はそのままじっとしていた。泣いているわけでもないし、眠っているわけでもなかった。僕はレンジの上のからっぽになった鍋を眺め、妻を眺め、それから残っていたビールを一口飲んだ。やれやれ、と僕は思った。いったいどうなってるんだ。たかがティッシュペーパーとトイレットペーパーとピーマンじゃないか。

僕は妻のところにいって、肩に手をやった。「ねえ、わかったよ。もう青いティッシュペーパーと、柄のついたトイレットペーパーは二度と買わない。約束する。買ったらたぶんは明日スーパーに行って別のものと取り替えてもらう。取り替えてくれなかったら、庭で焼いてしまう。灰は海に持っていって捨ててくる。ピーマンと牛肉に関してはもうけりがついた。少し匂いは残っているかもしれないけれど、すぐにそれも消える。だからそのことはもう忘れちゃおう」

彼女はやはり何も言わなかった。そのまま家を出て、一時間ばかり散歩してから家に帰ったら、彼女の機嫌《きげん》がすっかり戻っていたというようなことになったらいいのにな、と僕は思った。でもそんなことが起こる可能性はゼロだった。それは僕が自分の手で解決しなくてはならないことだった。

「君は疲れているんだよ」と僕は言った。「少し休んでから、久しぶりに近所の店にピザでも食べに行こう。アンチョビと玉葱のピザを半分ずつ食べよう。たまに外食したってバチはあたらないよ」

クミコは何も言わなかった。そこにじっと顔を伏せているだけだった。

それ以上言うべき言葉はなかった。それで僕はテーブルの向かいの席に座って、彼女の頭を眺めていた。短い黒い髪のあいだから耳が見えた。耳たぶには僕の見たことのないイヤリングがついていた。魚のかたちをした小さな金のイヤリングだった。クミコはいつどこでそんなイヤリングを買ったのだろう？ 煙草《たばこ》が吸いたかった。禁煙を始めてまだ一ヵ月ちょっとしかたっていなかった。僕は自分がポケットから煙草の箱とライターを取り出し、フィルターつきの煙草を一本くわえ、それに火をつけるところを想像した。それから僕は思い切り空気を胸に吸い込んだ。牛肉と野菜を炒めたもったりした匂いのまじった空気が鼻孔を刺激した。正直なところ、僕はひどく空腹だった。

それからふと壁にかかったカレンダーに目をやった。カレンダーには月の満ち欠けを示すしるしがついていた。月はだんだん満月に近づいているところだった。そういえばそろそろ生理が近かったんだな、と僕は思った。

実を言うと、僕は結婚したことによって初めて、自分がこの地球という太陽系の第三惑星に住む人類の一員であることをありありと実感することになった。僕は地球の上に住み、地球は太陽のまわりを回転し、その地球のまわりを月が回転している。それは好むと好まざるとにかかわらず、永遠に（僕の生命の長さと比較すれば、永遠という言葉をここで使ってもおそらく差し支《つか》えないだろう）続くことなのだ。僕がそんな風に思うようになったのは、僕の妻がきっちりとほぼ二十九日ごとに生理を迎えていたからだった。そしてそれは月の満ち欠けと見事に呼応していた。彼女の生理は重く、それが始まる前の何日かは精神的にひどく不安定になり、しばしば非常に不機嫌になった。だからそれは僕にとっても、間接的にではあるにせよ、かなり重要なサイクルであった。僕はそれに備え、不必要なトラブルが生じないようにうまく処理していかなくてはならなかった。結婚する前には、月の満ち欠けのことなんてほとんど気にもとめなかった。たまにはふと空を見上げることもあったけれど、今の月がどういうかたちをしているかなんて、僕とはまったく関係のない問題であった。でも結婚したあとでは、僕はだいたいいつも月のかたちを頭にとめているようになった。

それまでに僕は何人かの女の子とつきあったことがあったし、もちろん彼女たちもそれぞれに生理を抱えていた。それらは重かったり、軽かったり、三日間しか続かなかったり、一週間丸々続いたり、きちんと規則正しくやってきたり、十日も遅れてやってきて僕をひやひやさせたりもした。ひどく不機嫌になる子もいれば、ほとんど気にもならないという子もいた。でもクミコと結婚するまで、僕は女性と一緒に生活したことは一度もなかった。僕にとっての自然の周期とは、季節が巡ることだけだった。冬になればコートを出し、夏になればサンダルを出した。それだけだった。しかし結婚したことによって、僕は同居人とともに、月の満ち欠けという新しい周期の概念を抱えこむことになった。彼女がその周期を欠いた時期が何ヵ月かだけあった。そのあいだ彼女は妊娠していたのだ。

「御免なさい」とクミコは顔をあげて言った。「あなたにあたるつもりはなかったのよ。ちょっと疲れていらいらしていただけ」

「いいよ」と僕は言った。「気にしないでいい。疲れてる時は誰かにあたった方がいいんだ。誰かにあたればすっきりする」

クミコはゆっくりと息を吸い込んで、しばらくそれを肺の中にとどめてから、またゆっくりと吐きだした。

「あなたはどうなの？」と彼女は言った。

「僕がどうしたんだ？」

「あなたは疲れていても誰にもあたらないでしょう。あたっているのは私ばかりみたいな気がするんだけど、それはどうして？」

僕は首を振った。「そのことには気がつかなかったな」

「あなたの中には深い井戸みたいなのが開いているんじゃないかしら。そしてそこに向かって『王様の耳はロバの耳！』って叫ぶと、いろんなことがうまく解消しちゃうんじゃないのかしら」

僕は彼女の言ったことについて考えてみた。「そうかもしれない」と僕は言った。

クミコはもう一度ビールの空き瓶を見た。瓶のラベルを眺《なが》め、瓶の口を眺め、それから首のところを持ってくるくると回した。

「私、生理が近いのよ。だからイライラしてるんだと思う」

「知ってるよ」と僕は言った。「でも気にすることはない。そういうのに作用されるのは君だけじゃない。馬だって満月のたびにいっぱい死ぬんだ」

クミコはビール瓶から手を放し、口を開けて僕の顔を見た。「何、それ？　どうしてここで急に馬の話が出てくるの？」

「このあいだ新聞で読んだんだ。ずっと君に話そうと思って、話し忘れていた。どこかの獣医がインタビューの中で言っていたんだけどさ、馬というのは肉体的にも精神的にも、月の満ち欠けに非常に大きく影響される動物なんだ。満月が近づくにつれて、馬の精神波はものすごく乱れるし、肉体的にもいろんなトラブルが出てくるんだ。満月の夜になると沢山の馬が病気になるし、死ぬ馬の数も圧倒的に増える。どうしてそうなるのか正確な原因は誰にもわからない。でも統計をみるとちゃんとそうなっているんだ。馬を専門にしている獣医は、満月の日には忙しくて眠る暇もないくらいなんだそうだよ」

「ふうん」と妻は言った。

「でも満月よりまだ悪いのが日蝕《にっしょく》なんだ。日蝕の日には馬たちの置かれた状況はもっと悲劇的なものになる。皆既日蝕の日にどれくらいの数の馬が死んでいくか、君にはきっと想像もつかないと思う。とにかく、僕が言いたいのは、こうしている今も世界のどこかで馬がばたばたと死んでるということだよ。それに比べたら、君が誰かにあたるくらいたいしたことじゃないじゃないか。そんなことは別に気にしなくていいんだ。死んでいく馬のことを想像してごらんよ。満月の夜に納屋《なや》の藁《わら》の上に寝ころんで、口から白い泡《あわ》を吹きながら、苦悶《くもん》に喘《あえ》いでいる馬のことを考えてみなよ」

彼女は納屋の中で死んでいく馬たちについてしばらく考えているようだった。

「あなたにはたしかに不思議な説得力があるわね」と彼女はあきらめたように言った。「それは認めざるをえないわ」

「じゃあ着替えて、外にピザを食べに行こう」と僕は言った。

その夜、僕は明かりを消した寝室の中で、クミコの隣に横になって天井を見ながら、自分はこの女についていったい何を知っているのだろうと自問した。時計は午前二時を指していた。クミコはぐっすりと眠っていた。僕は暗闇《くらやみ》の中で、青いティッシュペーパーと柄のついたトイレットペーパーと牛肉とピーマンの炒《いた》めものについて考えた。僕は、彼女がそういったものごとに我慢できないということをずっと知らずに生きてきたのだ。それ自体はたしかにつまらない些細《ささい》なことだった。本来なら笑ってすませられる程度のことだ。大騒ぎするような問題じゃない。僕らは数日のうちにそんなつまらないいさかいのことは忘れてしまうだろう。

しかし僕にはその出来事が妙に気になった。まるで喉《のど》にひっかかった魚の小骨のように、それは僕を居心地悪くさせていた。〈それはもっと致命的なことであったかもしれないのだ〉、僕が考えたのはそういうことだった。〈それは致命的なことであり得たのだ〉。あるいはそれは実際に、何かもっと大きな、致命的なものごとの始まりに過ぎないかもしれないのだ。それはただの入口なのかもしれない。そしてその奥には、僕のまだ知らないクミコだけの世界が広がっているのかもしれない。それは僕に真っ暗な巨大な部屋を想像させた。僕は小さなライターを持ってその部屋の中にいた。ライターの火で見ることが出来るのは、その部屋のほんの一部にすぎなかった。

僕はいつかその全貌《ぜんぼう》を知ることができるようになるのだろうか？　あるいは僕は彼女のことを最後までよく知らないまま年老いて、そして死んでいくのだろうか？　もしそうだとしたら、僕がこうして送っている結婚生活というのはいったい何なんだろう？　そしてそのような未知の相手と共に生活し、同じベッドの中で寝ている僕の人生というのはいったい何なんだろう？

それがそのときに僕の考えたことであり、その後もずっと断続的に考えつづけたことだった。そしてもっとあとになってわかったことだが、そのとき僕はまさに問題の核心に足を踏み入れていたのだ。

3

加納マルタの帽子、シャーベット・トーンとアレン・ギンズバーグと十字軍

昼食の用意をしているときにまた電話のベルが鳴った。

僕は台所に立ってパンを切ってバターとマスタードを塗り、トマトのスライスとチーズをはさんだ。そしてそれをまな板の上に載せ、包丁で半分に切ろうとしていたのだ。ちょうどそこに電話がかかってきた。

電話のベルを三度鳴らさせておいてから、僕は包丁でパンを半分に切った。そしてそれを皿の上に載せ、包丁を拭《ふ》いて引き出しの中にしまった。それから温めておいたコーヒーをカップに注《つ》いだ。

それでもまだ電話のベルは鳴りつづけていた。たぶん十五回くらい鳴っていたんじゃないかと思う。僕はあきらめて受話器を取った。できることなら電話に出たくなか

った。でもそれはクミコからの電話かもしれない。

「もしもし」と女の声が言った。聞き覚えのない声だった。妻の声でもないし、このあいだ、スパゲティーをゆでているときに奇妙な電話をかけてきた女の声でもなかった。別の、僕の知らない女の声だった。

「オカダ・トオル様のお宅はそちらでいらっしゃいますでしょうか？」と女は言った。紙に書かれた文章をそのまま読み上げているような感じの喋《しゃべ》り方だった。

「そうです」

「オカダ・クミコ様のご主人でいらっしゃいますか？」

「そうです。オカダ・クミコは僕の妻です」

「ワタヤ・ノボル様は奥様のお兄様でいらっしゃいますか？」

「そうです」と僕は我慢強く言った。「たしかに綿谷昇は妻の兄です」

「私どもはカノウと申します」

僕は何もいわずに相手の話の続きを待った。突然妻の兄の名前が出てきたことは僕を少なからず警戒させた。僕は電話機のそばにあった鉛筆の背中で首のうしろを掻《か》いた。五秒か六秒、相手は黙っていた。受話器からは声だけではなく、他のどんな音も聞こえなかった。あるいはその女は送話口を手でふさいで近くにいる誰かと話をしていたのかもしれない。

「もしもし」、僕は心配になって声をかけてみた。

「どうも失礼いたしました。それではまたあらためてお電話申し上げます」と女は突然言った。

「ねえ、ちょっと待ってください。これは――」、でもそのときにはもう電話は切れてしまっていた。僕はしばらくその受話器を手に持って、じっと眺めていた。それからもう一度受話器に耳をつけてみた。しかし間違いなく電話は切れていた。

なんだか割り切れない気持ちのまま、台所のテーブルに向かってコーヒーを飲み、サンドイッチを食べた。その電話がかかってくるまで自分が何を考えていたのか、僕にはもう思いだせなかった。包丁を右手に持って、これからパンを切ろうとしているときに、僕はたしかに何かを考えていたのだ。それは何か大事なことだった。思いだそうとして長いあいだ思いだせなかったというような類《たぐ》いのことだった。それがパンをふたつに切ろうとしているときに、ふっと僕の頭に浮かんだのだ。でも今では、それが何であったのかを、まったく思いだすことができなかった。僕はサンドイッチを食べながら、それが何だったのか、思いだそうとつとめた。でも駄目《だめ》だった。その記憶はそれが以前生息していた意識の暗黒の辺土に既に戻ってしまっていた。

昼食を食べ終えて、皿を片づけたところに、また電話のベルが鳴った。僕は今度はすぐに受話器を取った。

「もしもし」と女が言った。妻の声だった。

「もしもし」と僕は言った。

「元気？　もう昼食は済んだ？」と彼女は言った。

「済んだ。君は何を食べた？」と僕は訊《き》いた。

「何も」と彼女は言った。「朝からずっと忙しかったものだから、何かを食べる暇もなかったのよ。もう少ししたら、その辺でサンドイッチでも買ってきて食べるわ。あなたは昼ご飯に何を食べたの？」

僕は自分の食べたものを説明した。「ふうん」と彼女は言った。それほどうらやましくはなさそうだった。

「朝あなたに言っておこうと思って言い忘れちゃったんだけれど、加納さんっていう人から今日あなたに電話がかかってくると思うの」と彼女は言った。

「もうかかってきた」と僕は言った。「ついさっきだよ。僕と君と、君の兄貴の名前を並べて、それだけで何も用件を言わずに電話を切っちゃったんだ。いったい何なんだ、あれは？」

「切った？」

「うん。あとでもう一度かけるって言ってたな」

「じゃあ、もう一度加納さんから電話がかかってきたら、言われたとおりにしてね。大事な用件だから。たぶんその人に会いに行くことになるんじゃないかと思うけれど」

「会いに行くって、今日これから？」

「今日は何か予定か約束があるの？」

「ない」と僕は言った。昨日も今日も明日も、予定やら約束なんて何ひとつとしてない。「でもいったい加納さんというのが誰なのか、そして僕にいったいどういう用事があるのか、教えてくれないかな。僕だって何がどうなっているのか、少しは知っておきたい。もし僕の就職に何か関係あるんだとしたら、僕はそういうことで君の兄貴とはあまりかかわりあいになりたくないな。それは前にも言ったと思うけど」

「あなたの就職のことなんかじゃないわよ」と彼女は面倒くさそうな声で言った。

「だから猫《ねこ》のことよ」

「猫のこと？」

「ねえ、悪いけど今ちょっと手が放せないのよ。人が待っているのよ。無理して電話かけてるんだから。昼ご飯だってまだ食べてないって言ったでしょう。電話切っていいかしら？　手があいたらまたかけなおすから」

「忙しいのはわかるよ。でもさ、そんなわけのわからないことを突然押しつけられても僕だって困るんだよ。いったい猫がどうしたんだ？　その加納っていう人は――」

「とにかくその人から言われたとおりにしてちょうだいね。わかった？　これ真剣なことなのよ。ちゃんと家にいて、その人の電話を待っててね。じゃあ切るわね」。そして電話が切れた。

二時半に電話のベルが鳴ったとき、ソファーの上でうたた寝をしていた。はじめのうち、僕はそれを目覚まし時計のベルの音だと思った。そして手をのばしてボタンを押し、ベルを止めようとした。しかしそこには時計はなかった。僕が寝ていたのはベッドではなくて、ソファーの上だった。そして時刻は朝ではなくて、午後だった。僕は起き上がって電話のところまで行った。

「もしもし」と僕は言った。

「もしもし」と女が言った。昼前に電話をかけてきたのと同じ女の声だった。「オカダ・トオル様でいらっしゃいますか？」

「そうです。岡田亨です」

「こちらはカノウと申します」

「先ほどの電話の方ですね？」

「そうです。先ほどは誠に失礼いたしました。ところで岡田様は本日これから何かご予定がおありでいらっしゃいますでしょうか？」

「とくに予定というほどのものはありませんね」と僕は言った。

「それでは、まことに唐突かとは存じますが、これからお目にかかるということは可能でしょうか？」と女は言った。

「今日、これからですか？」

「そうです」

僕は時計を見た。三十秒前に見たばかりだったので、あえて見る必要もなかったのだが、念のためにもう一度見たのだ。時刻はやはり午後の二時半だった。

「それは長くかかることなんですか？」

「それほど長くはかからないと思います。でもあるいは思ったより長くかかるかもしれません。今の時点では私にも正確なことは申し上げられないのです。申し訳ありませんが」と女は言った。

　でもそれがどれだけ時間のかかることであるにせよ、僕にはとくに選択の余地があるわけではないのだ。僕はクミコが電話で言ったことを思いだした。彼女は僕に、先方の言うとおりにしてくれと言った。それは真剣なことなのだと言った。だから僕としてはとにかく言われたとおりにするしかなかった。彼女がそれを真剣なことだというなら、それは真剣なことなのだ。

「わかりました。それでどちらに伺えばいいんですか？」と僕は訊いた。

「岡田様は品川の駅前にあるパシフィック・ホテルはご存じでいらっしゃいますでしょうか？」と彼女は言った。

「知ってます」

「一階にコーヒールームがあります。そこで四時にお待ちしております。よろしいでしょうか？」

「結構です」

「私は三十一歳で、赤いビニールの帽子をかぶっております」

　やれやれ、と僕は思った。この女の話し方にはどこかしら奇妙なところがある。その奇妙さは僕を一瞬混乱させた。しかしその女の言ったことのいったい何がどう奇妙なのか、僕にはうまく説明することができなかった。三十一歳の女が赤いビニールの帽子をかぶってはいけないという理由は何もなかった。

「わかりました」と僕は言った。「たぶん見つけられると思います」

「それでは岡田様の外見的特徴を念のために教えていただけますでしょうか？」と女は言った。

僕は自分の外見的特徴についてあらためて考えてみた。僕にはいったいどんな外見的特徴があるのだろう。

「三十歳です。身長は172センチ、体重は63キロ、髪は短くしています。眼鏡はかけていません」、いや、これはとても特徴とは言えないな、と説明しながら思った。そんな外見の人間は品川パシフィック・ホテルのコーヒールームにはあるいは五十人くらいいるかもしれない。僕は前に一度そこに行ったことがある。それはものすごく大きなコーヒールームだった。もっと何か人目を引くような特別な特徴が必要だろう。しかし僕にはそんな特徴をなにひとつとして思いつくことができなかった。もちろん僕に特徴がないというわけではない。失業していて、『カラマーゾフの兄弟』の兄弟の名前を全部覚えている。でもそんなことはもちろん外見からはわからない。

「どんな服を着てこられるおつもりですか？」と女は訊いた。

「そうですね」と僕は言った。でも僕にはうまく考えられなかった。「わからない。まだ決めてないんです。なにしろ突然のことですから」

「それでは水玉のネクタイをしめてきてください」と女はきっぱりとした声で言った。

「岡田様は水玉のネクタイをお持ちでいらっしゃいますでしょうか？」

「持っていると思います」と僕は言った。僕は紺にクリーム色の小さな水玉の入ったネクタイを持っていた。それは二年か三年前の誕生日に妻がプレゼントしてくれたものだった。

「それをおしめになってくださいませ。それでは四時にあらためてお目にかからせていただきます」と女は言った。そして電話を切った。

僕は洋服ダンスを開けて水玉のネクタイを探した。しかしネクタイかけには水玉のネクタイの姿はなかった。引き出しを全部開けてみた。押入れの衣装箱もぜんぶ開けてみた。しかしどこにも水玉のネクタイはなかった。もしそのネクタイがいやしくも家の中にあるなら、僕は絶対にそれを見つけているはずだった。クミコは衣服の整理に関してはとてもきちんとしていたし、僕のネクタイがいつも置かれている以外の場所に僕のネクタイがあるとは思えなかったからだ。

洋服ダンスの扉《とびら》に手を置いたまま、最後にそのネクタイをしめたのはいつのことだっただろうと考えてみた。でもどうしても思いだせなかった。それは趣味のいいシックなネクタイだったが、僕が法律事務所にしめていくにはいささか派手すぎた。もしそんなネクタイをしめて事務所に行ったら、きっと誰かが昼休みに僕のところにやってきて、「素敵なネクタイだね。色もいいし、感じも明るいし」とか、そういうことを長々と言っただろうと思う。でもそれは一種の警告なのだ。僕の勤めていた事務所ではネクタイを褒《ほ》められることは決して名誉なことではない。だから僕はそのネクタイをしめて仕事場にはいかなかった。そのネクタイをしめるのは、コンサートに行くとか、きちんとしたディナーを食べに行くとか、そういうプライベートで、かつ比較的フォーマルである場合に限られていた。つまり妻が僕に「今日はちょっときちんとした恰好《かっこう》をして出かけましょうよ」と言うような場合だった。それほど数多くの機会があったわけではないが、そういうときに僕はその水玉のネクタイをしめた。紺色のスーツによくあったし、妻もそのネクタイのことを気に入っていた。でもそのネクタイを最後にしめたのがいつだったか、まったく思いだせなかった。

僕はもう一度洋服ダンスの中に目をとおしてから、あきらめた。水玉のネクタイは何らかの理由でどこかに消えてしまったのだ。しかたない。紺のスーツを着て、ブルーのシャツにストライプのネクタイをしめることにした。まあなんとかなるだろう。彼女は僕のことを見つけられないかもしれない。でも赤い帽子をかぶった三十一歳の女をこちらでみつければすむことなのだ。

仕事を辞めてから二ヵ月ほどのあいだに、僕はただの一度もこのスーツに袖《そで》を通したことがなかった。久しぶりにスーツを着ると、自分の体が何か異質なものに固く包まれているような気がした。それは重くこわばっていて、いかにも体にそぐわなかった。僕は立ち上がってしばらく部屋の中を歩きまわり、鏡の前に行って袖や裾《すそ》をひっぱって体に馴染《なじ》ませた。腕をいっぱいに伸ばし、大きく息をし、体を曲げ、この二ヵ月のあいだに体型が変化したのではないことを確かめた。それからもう一度ソファーに座った。でもやはり落ちつかなかった。

春までは毎日スーツを着て通勤していたのだが、とくに違和感というようなものを感じたことはなかった。僕の勤めていた法律事務所はかなり服装にはうるさいところで、僕のような下級職員でさえスーツを着ていくことが求められていた。だから僕はごく当たり前のこととして、スーツを着て仕事に出た。

しかしこうして今スーツを着て居間のソファーにひとりで座っていると、なんだか自分が間違った不品行な行為を行っているようにさえ感じられた。それは何か卑《いや》しい目的で経歴を詐称《さしょう》するとか、こっそりと女装しているとか、そういう感じの後ろめたさに似ている。僕はだんだん息苦しくなってきた。

僕は玄関に行って、靴《くつ》をしまってある棚《たな》から茶色の革靴を取り出し、靴べらを使ってそれを履いた。靴には白いほこりが薄くつもっていた。

女を見つける必要はなかった。女の方が先に僕を見つけたのだ。僕はコーヒールームに着くと、店の中をぐるりとひとまわりして赤い帽子を探してみた。でも赤い帽子をかぶった女なんてひとりも見当たらなかった。腕時計を見ると、四時にはまだ十分ばかりあった。僕は席に座り、運ばれてきた水を飲み、ウェイトレスにコーヒーを注文した。すると女の声が背後から僕の名前を呼んだ。「岡田亨様ですね」、僕はびっくりして振り向いた。店の中を見回して、席についてからまだ三分もたっていなかった。

女は白い上着に、黄色い絹のブラウスを着て、赤いビニールの帽子をかぶっていた。僕は反射的に立ち上がって、女と向かい合った。どちらかといえば、美しい女だった。すくなくとも僕が電話の声から想像していたよりは、ずっと綺麗だった。体はほっそりしていたし、化粧も控え目だった。着こなしも良かった。彼女の着たジャケットもブラウスも、仕立ての良い上品なもので、上着の襟《えり》には羽根の形をした金のブローチが光っていた。一流会社の秘書みたいに見えなくもなかった。ただ赤い帽子だけがどうしようもなく場違いに見えた。それほど気を配った服装をしているのに、どうしてわざわざ赤いビニールの帽子をかぶらなくてはならないのか、その理由がよくわからなかった。あるいは待ち合わせのときにはいつもその赤い帽子を目印としてかぶることに決めているのかもしれない。それは悪いアイデアではないようにも思えた。目立つかどうかという観点から見れば、たしかに目立ったからだ。

彼女が向かいの席に座り、僕ももう一度自分の席に腰を下ろした。

「よく僕だってわかりましたね」、僕は不思議に思って訊《き》いてみた。「水玉のネクタイがみつからなかったんですよ。だから仕方なくてストライプのネクタイをしめてきたんです。僕の方からあなたをみつけようと思っていたんです。それなのにどうして僕だってわかったんだろう？」

「もちろんわかります」と女は言った。そして手に持っていた白いエナメルのハンドバッグをテーブルの上に置き、赤いビニールの帽子を脱いでその上にかぶせた。ハンドバッグは帽子の下にすっぽりと隠れてしまった。なんだかこれから手品でも始まるみたいな雰囲気《ふんいき》があった。帽子を取ったら中のハンドバッグが消えてしまっているとか。

「でもネクタイの柄が違っていたから」と僕は言った。

「ネクタイ？」と彼女は言った。そして不思議そうな目で僕のネクタイを見た。いったい何を言っているのかしらこの人は、という風に。それからうなずいた。「べつに構いません、そんなことは。気にしないでください」

不思議な感じの目だな、と僕は思った。妙に奥行きがないのだ。綺麗な目なのに、何も見ていないように感じられる。まるで義眼みたいに平面的だ。でももちろん義眼じゃない。それはきちんと動き、まばたきしている。

どうしてこんな込みあったコーヒールームで、初対面の僕をすぐに見分けられたのか、さっぱり理解できなかった。広いコーヒールームはほとんど満員だったし、僕みたいな年恰好の男はいたるところにいた。そんな中で僕をすぐにみつけることができた理由を彼女に訊いてみたかった。でも余計なことは何も言わない方がよさそうだった。だから僕はそれ以上何も言わなかった。

女は忙しそうに歩きまわっているウェイターをよびとめて、ペリエを注文した。ペリエはない、とウェイターは言った。トニック・ウォーターならありますが。女はそれについてちょっと考えていたが、それでいい、と言った。トニック・ウォーターが来るまで、女は何も言わずに黙っていた。僕も黙っていた。

やがて女はテーブルの上の赤い帽子をとって、その下に置かれたハンドバッグの口金を開け、そこからカセットテープより少し小さいくらいのサイズの、光沢のある黒い革のケースを取りだした。それは名刺入れだった。名刺入れにも口金がついていた。口金のついた名刺入れなんて見るのは初めてだった。彼女はそこから大事そうに名刺を一枚出して僕に渡した。僕も名刺を出そうとしたが、スーツのポケットに手を入れてから、もう自分が名刺を持っていないことを思いだした。

名刺は薄いプラスチックで作られていて、微《かす》かなお香の匂《にお》いがしたような気がした。鼻を近づけてみると、その匂いはもっと明確になった。間違いなくお香だった。そしてそこにはただ一行、黒々とした小さな字で名前が書いてあった。

加納マルタ

マルタ？

それから僕は裏返してみた。

何も書かれていない。

その名刺の意味についてあれこれと考えているうちに、ウェイターがやってきて、彼女の前に氷の入ったグラスを置いて、トニック・ウォーターを半分だけ注《つ》いだ。グラスの中には楔形《くさびがた》に切ったレモンが入っていた。少しあとで銀色のコーヒーポットとトレイを持ったウェイトレスがやってきて、僕の前にコーヒーカップを置き、そこにコーヒーを注ぎ、まるで悪い御神籤《おみくじ》を他人に押しつけるみたいにそっと、伝票を伝票差しに差して去っていった。

「何も書いてありません」と加納マルタは僕に言った。僕は何も書いてない名刺の裏をまだぼんやり眺めていたのだ。「名前だけです。電話番号も住所も、私には必要ありません。誰も私には電話をかけてこないからです。私の方が誰かに電話するのです」

「なるほど」と僕は言った。その意味のない相槌《あいづち》は、『ガリヴァー旅行記』に出てくる空に浮かんだ島みたいに、テーブルの上空にしばらくのあいだ虚《むな》しく漂っていた。

女は両手でグラスを支えるように持って、ストローでほんの一口飲んだ。それから微かに顔をしかめ、もう興味をなくしたように、グラスを脇《わき》に押しやった。

「マルタというのは、私の本当の名前ではありません」と加納マルタは言った。「加納というのは本当の名前です。でもマルタというのは職業上の名前です。マルタ島から取ったのです。岡田様はマルタには行かれたことはおありでしょうか？」

ない、と僕は言った。僕はマルタ島に行ったことはない。近いうちに行く予定もない。行ってみようかと考えたことすらない。僕がマルタ島について知っているのは、ハーブ・アルパートの演奏した『マルタ島の砂』だけだったが、これは掛け値なしにひどい曲だった。

「私はマルタに三年おりました。三年そこに住んでいたのです。マルタというのは水の不味《まず》いところです。とても飲めたものではありません。まるで薄めた海水を飲んでいるようなものです。パンも塩辛いのですが、それは塩を入れるせいではなくて、もともとの水が塩辛いからです。でもパンの味は悪くありません。私はマルタのパンは好きです」

僕はうなずいて、コーヒーを飲んだ。

「マルタはそのように水がきわめて不味いところなのですが、でも島のある特定の場所に湧《わ》く水は、体の組成に素晴らしい影響を与えます。それは神秘的と言ってもいいくらいに特殊な水なのです。その水はマルタのその場所にしか湧きません。その泉は山の中にあって、麓《ふもと》にある村からそこまで登っていくには何時間もかかります」、女は続けた。「そしてその水は持ち運ぶことができないのです。その水はよその場所に移されると効力をなくしてしまいます。だからその水を飲むためには、本人がそこまで行かなくてはならないのです。その水についての記述は、十字軍時代の文献にも残っております。彼らはそれを霊水と呼んでおりました。アレン・ギンズバーグもその水を飲みに来ました。キース・リチャードも来ました。私はそこに三年住んでいました。その麓にある小さな村にです。そこで野菜を作ったり、機織《はたお》りを習ったりして住んでいました。そして毎日その泉に通って、その水を飲んでおりました。一九七六年から一九七九年までです。一週間、その水だけを飲み何も食べないということもありました。一週間その水以外には何も口に入れてはならないのです。そのような訓練が必要とされるのです。修行といってもよろしいかと思います。そのようにして体を浄化するわけです。それは誠に素晴らしい体験でありました。そういうわけで、日本に戻ってきてから、私はマルタという地名を仕事上の名前に選びました」

「失礼ですが、どのような御職業なのでしょうか？」と僕は訊いてみた。

加納マルタは首を振った。「正確に言えば職業ではありません。それでお金を頂いているわけではありませんから。ご相談を受けて、体の組成についてみなさんとお話ししあうのが、私の役目です。体の組成に有効な水の研究もしています。お金のことは問題ではありません。私には一応の財産があります。父親は病院を経営しておりまして、生前分与というかたちで私と妹に株式と不動産を譲ってくれました。税理士がそれを管理してくれています。毎年のきちんとした収入もあります。私は本も何冊か書いていますし、そちらからの収入もささやかなものですが、一応はあります。私の体の組成についての仕事はあくまで無償のものです。だから電話番号も住所も書いてないのです。私の方から電話するのです」

僕はうなずいた。でもそれはただうなずいただけだった。彼女の口にする言葉のひとつひとつの意味は理解できた。でもそれが全体として何を意味しているのか、僕にはわけがわからなかった。

体の組成？

アレン・ギンズバーグ？

だんだん落ちつかない気持ちになってきた。僕は決して直観に優れたタイプの人間ではない。でもそこには間違いなく、何か新種のトラブルの匂いがした。

「申し訳ありませんが、もう少し順序だてて説明していただけませんか。ついさっき妻から、猫《ねこ》のことであなたにお目にかかってお話をするようにと言われただけなんです。ですから、今のお話をうかがっていても、正直に言いまして僕には前後の事情がよくわからないんです。それはうちの猫と関係のあることなんですね？」

「そうです」と女は言った。「しかしその前にひとつだけ、岡田様に知っておいていただきたいことがあります」

加納マルタはまたハンドバッグの口金を開けて、中から白い封筒を取り出した。封筒の中には写真が入っていた。彼女はそれを僕の方に差し出した。「妹の写真です」と加納マルタは言った。そのカラー写真には二人の女が写っていた。ひとりは加納マルタで、彼女はその写真の中でもやはり帽子をかぶっていた。黄色いニットの帽子だった。その帽子もまた服装に不吉に合っていなかった。妹の方は――話の流れから言ってたぶんそれが妹と推察されるわけだが――一九六〇年代の初期に流行《はや》ったようなパステル・カラーのスーツを着て、それにあった色の帽子をかぶっていた。人々はかつてそのような色あいを「シャーベット・トーン」と呼んでいたような気がする。きっと帽子をかぶるのが好きな姉妹なのだろうと僕は想像した。髪形は大統領夫人時代のジャクリーン・ケネディのそれに酷似していた。かなりの量のヘア・スプレイが使用されているであろうことが示唆《しさ》されていた。化粧はいささか濃すぎるようだったが、顔だち自体は美しいと表現してもいいくらいに整っており、年齢はたぶん二十代初めから半ばというところだった。僕はしばらく眺めてからその写真を加納マルタに返した。彼女は写真を封筒に戻し、それをハンドバッグに入れ、口金を閉めた。

「妹は私より五つ年下です」と加納マルタは言った。「そして妹は綿谷ノボル様に汚《けが》されました。暴力的に犯されたのです」

やれやれ、と僕は思った。僕はそのまま何も言わずに席を立って帰ってしまいたかった。でもそうもいかない。僕は上着のポケットからハンカチを出した。そして口もとを拭《ふ》いて、それをまた同じポケットに戻した。そして咳払《せきばら》いをした。

「詳しい事情はよくわかりませんが、そのことで妹さんが傷つかれたのだとしたら、僕としても本当にお気の毒に思います」と僕は切り出した。「でも御承知おき頂きたいのですが、僕と妻の兄とはとくに個人的に親しいというわけではないんです。ですからもしそのことについて何か――」

「そのことで岡田様を責めているわけではありません」と加納マルタはきっぱりとした口調で言った。「もし誰かがそのことに関して責められるべきであるとしたら、まず最初に私が責められなくてはならないでしょう。私の注意が足りなかったのです。本来ならば私が妹をちゃんと守ってやらなくてはならなかったのです。でも様々な事情があって、私にはそうすることができませんでした。よろしいですか、岡田様、そういうことは起こりうるのです。岡田様もよくご存じのように、ここは暴力的で、混乱した世界です。そしてその世界の内側にはもっと暴力的で、もっと混乱した場所があるのです。おわかりになりますか？ 起こってしまったことは起こってしまったことです。妹はその傷から、その汚れから回復するでしょうし、また回復しなくてはなりません。それは有り難いことに、致命的なものではありませんでした。これは妹にも言ったことですが、もっとひどいことにだってなりえたのです。ここで私がいちばん問題にしているのは、妹の体の組成のことです」

「組成」と僕は繰り返した。どうやら彼女の話のテーマは一貫して体の組成に関することにあるらしかった。

「その前後の状況についてここで詳しい説明をすることはできません。長くて複雑な話ですし、こう言っては失礼かとも存じますが、おそらく岡田様がその話の内実を正確に理解なさるのは、今の段階では難しかろうと思います。それは私たちが専門的に扱っている世界の話だからです。ですから、私は何もそのことで苦情を申し上げるために岡田様をここにお呼び出ししたわけではありません。もちろん岡田様には何の責任もありません。言うまでもないことです。私はただ、妹が綿谷様によって一時的にせよその組成を汚されたのだということを、岡田様にご承知おき願いたかったのです。あるいはこれから先に岡田様と私の妹とが何らかのかたちで関《かか》わることもあるかと思います。何故《なぜ》ならさきほども申し上げましたように、妹は私の助手のような仕事をしているからです。そういう場合に、綿谷様と妹とのあいだに何が起こったかということとを岡田様も一応知っておかれた方がよろしいかと思うのです。そしてそういうことは起こりうるのだという事実をご承知いただきたかったのです」

それからしばらく沈黙があった。加納マルタは、あなたも少しそのことを考えてくださいというような顔をして、じっと黙りこんでいた。僕もそれについて少し考えてみた。綿谷ノボルが加納マルタの妹を犯したことについて、そしてそれと体の組成との関係について。そしてそれらとうちの行方不明の猫との関係について。

「ということは」と僕はおそるおそる切りだしてみた。「あなたも、あなたの妹さんもこのことを表沙汰《おもてざた》にしたり、あるいは警察に訴えたりするようなことはないというわけですか?」

「もちろんです」と加納マルタは無表情に言った。「正確に言えば、私たちは誰を責めているわけでもないのです。私たちは何がそれをもたらしたのかをもっと正確に知りたいと思っているだけです。それを知って解決しないことには、もっと悪いことが起こる可能性だってあるのです」

僕はそれを聞いて少し安心した。僕は綿谷昇が強姦罪《ごうかんざい》で逮捕され、有罪になって刑務所に入ったところでべつにかまわなかった。それくらいの目にあってもいいだろうと思っているくらいだった。しかし妻の兄は世間ではかなりの有名人だったから、それはちょっとしたニュースになるはずだったし、クミコがそのことでショックを受けるのはまず間違いのないところだった。僕としては、僕自身の精神衛生のためにも、そんなことになってほしくはなかった。

「今日お目にかかった用件は純粋に猫のことです」と加納マルタは言った。「猫のことで綿谷様からご相談を受けていたのです。奥様の岡田クミコ様がお兄様の綿谷様に行方のわからなくなった猫のことをご相談になって、綿谷様が私にご相談になったのです」

なるほど、それで話がわかる。彼女は霊能者か何かで、うちの猫の行方について相談を受けたのだ。綿谷家は昔から占いや家相に凝っている一家なのだ。もちろんそんなことは個人の自由だ。信じたいものを信じればいい。でも、どうしてわざわざそんい、な相手の妹を犯さなくてはならないのだ？　どうしてそんな不必要な面倒を起こさなくてはならないのだ。

「あなたはそういう探し物を専門になさっておられるんですか？」と僕は彼女に質問してみた。

加納マルタはその奥行きのない目で僕の顔をじっと見た。なんだか空き家の窓から中をじっと覗《のぞ》き込んでいるような目だった。その目つきからすると、彼女には僕の質問の趣旨がまったく理解できていないみたいだった。

「不思議な場所にお住まいですね」、彼女は僕の質問を無視して言った。

「そうですか」と僕は言った。「いったいどんな風に不思議なんでしょう？」

加納マルタはそれには答えずに、ほとんど手をつけていないトニック・ウォーターのグラスをまた更に十センチほど向こうに押しやった。「そして猫というのはとても感じやすい生き物なのです」

僕と加納マルタとのあいだにはしばらく沈黙が下りた。

「僕が住んでいるのが不思議な場所で、猫が感じやすい動物だということはわかりました」と僕は言った。「でも僕らはこれまでずいぶん長いあいだそこに住んでいたんです。僕らと猫と一緒に。それがどうして今になって急に出ていったんですか？　どうしてもっと前に出ていかなかったんですか？」

「はっきりとは申し上げられませんが、たぶん流れが変わったせいでしょう。何かの関係で流れが阻害されたのでしょう」

「流れ」と僕は言った。

「猫がまだ生きているのかどうか、私にはわかりません。しかし今のところ、猫があなたの家の近くにいないことはたしかです。だから家の近くをどれだけ探しても、猫は出てこないでしょうね」

僕はカップを手に取って、さめたコーヒーをひとくち飲んだ。ガラス窓の外に細かい雨が降っているのが見えた。空には暗い雲が低く垂れこめていた。人々はいかにも憂鬱《ゆううつ》そうに傘《かさ》をさして歩道橋を上ったり下りたりしていた。

「手を出して下さい」と彼女は僕に言った。

僕は右手の手のひらを上に向けて、テーブルの上に置いた。僕は手相を見られるのだろうと思った。しかし加納マルタは手相にはまったく興味を持たないようだった。彼女はまっすぐに手をのばして、僕の手のひらに手のひらをかさねた。そして目を閉じて、そのままの姿勢でじっとしていた。まるで不実な恋人を静かに責めているみたいに。ウェイトレスがやってきて、僕と加納マルタがテーブルの上で何も言わずに手をあわせているのを見ないようにしながら、僕のカップにコーヒーのおかわりを注いでくれた。まわりのテーブルの人々はちらちらとこちらを見た。僕は誰か知り合いがここにいあわせないことをずっと願っていた。

「今日ここに来るまでに目にされたものを、ひとつだけでいいから思い浮かべてください」と加納マルタが言った。

「ひとつだけですか？」と僕は訊《き》いた。

「ひとつだけです」

僕は妻の衣装箱の中にあった花柄《はながら》のミニのワンピースのことを思い浮かべた。どうしてかはわからないけれど、それがふと頭に浮かんだのだ。

それからまた五分くらい僕らはそのまま手を触れあっていた。それはひどく長い時間に思えた。まわりの人にじろじろ見られることが気になったからというだけではない。彼女の手の触れかたには、何かしら人の気持ちを落ちつかなくさせるものがあったのだ。彼女の手はずいぶん小さかった。そして熱くも冷たくもなかった。その感触は恋人の手のように親密でもなかったし、医者の手のように機能的でもなかった。その手の感触は彼女の目によく似ていた。彼女に触れられていると、彼女にじっと見られているときと同じように、自分ががらんとした空き家になったような気がした。中には家具もなく、カーテンも絨毯《じゅうたん》もない。ただの空っぽの入れ物だ。やがて加納マルタは僕の手から手を放し、深く深呼吸をした。それから何度かうなずいた。

「岡田様」と加納マルタは言った。「あなたの身にはこれからしばらくのあいだにいろんなことが起こることになると思います。猫のことはおそらくその始まりに過ぎません」

「いろんなこと」と僕は言った。「それはいいことでしょうか、それとも悪いことでしょうか?」

加納マルタは考えるように首を少しだけかしげた。「いいこともありますし、悪いこともあるでしょう。一見いいことに見える悪いこともあるかもしれませんし、一見悪いことに見えるいいこともあるかもしれません」

「そういうのはどちらかというと、一般論のように僕には聞こえますね」と僕は言った。「もう少し具体的な情報はないのですか?」

「おっしゃるように、私の申し上げていることはたしかに一般論のように聞こえるでしょう」と加納マルタは言った。「しかし岡田様、ものごとの本質というものは、一般論でしか語れない場合がきわめて多いのです。それはご理解ください。私たちは占い師ではありませんし、予言者でもありません。私たちが語れるのはそのようなあくまで漠然《ばくぜん》としたことだけなのです。それは多くの場合わざわざ言うまでもない当たり前のことですし、ときには陳腐でさえあります。しかし正直に申し上げまして、そのようにしてしか私たちは前に進んでいけないのです。具体的なものごとはたしかに人目を引くでしょう。しかしそれらの大方は瑣末《さまつ》な事象に過ぎないのです。それらは言わば不必要な寄り道のようなものです。遠くを見ようとつとめればつとめるほど、ものごとはどんどん一般化していくのです」

僕は黙ってうなずいた。でももちろん僕には、彼女の言うことは何ひとつとして理解できなかった。

「またお電話を差し上げてよろしいでしょうか？」と加納マルタは言った。

「ええ」と僕は言った。正直なところもう誰にも電話なんかかけてほしくはなかった。でも僕には〈ええ〉としか答えようがなかった。

彼女はテーブルの上の赤いビニールの帽子を素早く手に取り、その下に隠されていたハンドバッグを持って立ち上がった。僕はどう反応したらいいのかわからないまま、そこにじっと座っていた。

「ひとつだけ瑣末なことを申し上げますが」と加納マルタは赤い帽子をかぶってから、

僕を見下ろすようにして言った。「あなたの水玉のネクタイは、家の中ではないところで見つかりますよ」

4 高い塔と深い井戸、あるいはノモンハンを遠く離れて

帰宅したとき、クミコは機嫌《きげん》が良かった。すごく機嫌がいいといってもいいくらいだった。僕が加納マルタと会ったあと家に帰ったのは六時前だったから、クミコが帰ってくるまでにきちんとした夕食の準備をする暇はなかった。だから冷凍食品を使って簡単な夕食を作った。そしてふたりでビールを飲みながらそれを食べた。彼女は機嫌がいいときにいつもそうするように、仕事の話をした。その日オフィスで誰と会ったか、どんなことをしたか、同僚の誰が有能で誰がそうじゃないか、というようなことだ。

僕はそれを聞きながら相槌《あいづち》を打っていた。おおよそ半分くらいしか聞いていなかったけれど、話を聞くこと自体は別に嫌《いや》ではなかった。話の内容はともかく、彼女が食卓で熱心に仕事の話をしている姿を見るのは好きだった。家庭、と僕は思った。その

中で僕らはそれぞれに振りあてられた責務を果たしているのだ。彼女が仕事場の話をし、僕は夕食の用意をして、その話を聞く。それは僕が結婚する以前に漠然と思い描いていた家庭の姿とはかなり違ったものだった。でも何はともあれ、それは僕が選んだものだった。もちろん僕は子供の頃《ころ》にも自分自身の家庭を持っていた。しかしそれは自分の手で選んだものではなかった。それは先天的に、いわば否応《いやおう》なく与えられたものだった。でも僕は今、自分の意思で選んだ後天的な世界の中にいた。僕の家庭だ。それはもちろん完璧《かんぺき》な家庭とは言いがたかった。しかしたとえどんな問題があるにせよ、僕は基本的にはその僕の家庭を進んで受け入れようとしていた。それは結局のところ僕自身が選択したものだったし、もしそこに何かしらの問題が存在するなら、それは僕自身が本質的に内包している問題そのものであるはずだと考えていた。

「それで、猫《ねこ》のことはどうなったの？」と彼女は訊いた。

僕は簡単に品川のホテルで加納マルタと会った話をした。水玉のネクタイの話をした。水玉のネクタイがどういうわけか洋服ダンスの中にみつからなかったこと。でも加納マルタが込み合ったコーヒールームの中で僕の姿をすぐにみつけられたこと。彼女がどういう恰好《かっこう》をしていたか、どんな喋《しゃべ》り方をしたか。そんなことを僕は話した。彼クミコは加納マルタの赤いビニールの帽子の話を喜んだ。でも我々の行方不明の猫がどうなったのかという問いに対する明確な答えがもらえなかったことは、彼女を少なからずがっかりさせたようだった。

「つまり、猫がどうなったかは、その人にもよくわからないのね？」と彼女はむずかしい顔をして僕に訊いた。「ただひとつわかることは、猫がこの近所にはもういないということだけなのね？」

「まあ、そういうことだな」と僕は言った。僕らの住んでいるのが〈流れの阻害された〉場所だということが、猫がいなくなったことに関係しているかもしれないという加納マルタの指摘については黙っていることにした。クミコはおそらくそれを気にするだろうと思ったからだ。僕としてはこれ以上面倒を増やしたくはなかった。それにここが悪い場所ならすぐに他に引っ越しましょうと彼女が言いだしたりしたら困ったことになる。僕らの現在の経済力では、どこかべつのところに引っ越すなんてまず不可能だ。

「猫はこの近所にはもういない――それがその人の言っていたことだよ」

「というと、あの猫はもう家に帰ってはこないってこと？」

「それはわからないね」と僕は言った。「言い方がとても曖昧《あいまい》なんだ。すべてが暗示的なんだよ。詳しいことがわかったらまた連絡するって言ってたけれど」

「信頼できると思う、その人のこと？」

「そこまではわからないよ。この手のことに関しては僕はまったくの門外漢なんだから」

僕は自分のグラスにビールを注《つ》いで、その泡《あわ》がおさまっていくのをしばらく見ていた。そのあいだクミコはテーブルに頬杖《ほおづえ》をついていた。

「その人、お金も何も、お礼というものを一切受け取らないのよ」

「それは良かった」と僕は言った。「じゃあ何も問題はない。お金も取らない、魂も取らない、お姫様も連れていかない。失うべきものは何もない」

「わかってほしいんだけど、あの猫は私にとっては本当に大事な存在なのよ」と妻は言った。「というか、あの猫は私たちにとって大事な存在だと思うの。あの猫は私たちが結婚した次の週に、二人でみつけた猫なのよ。覚えているでしょう？　あの猫を拾ったときのことを」

「覚えているよ、もちろん」と僕は言った。

「まだ子猫で、雨でぐしょぬれになっていたわ。大雨の日で、私はあなたを駅まで迎えにいったのよ。傘を持って。その帰りに酒屋さんの横のビール・ケースの中にあの子が捨てられていたのをみつけたのよ。そしてあの猫は私が生まれて初めて飼った猫なの。あの猫は私にとっては大事な象徴《しるし》のようなものなのよ。だから私はあの猫を失うわけにはいかないの」

「それはよくわかっているよ」と僕は言った。

「でもどれだけ探しても――どれだけあなたに探してもらっても見つからないし、いなくなってからもう十日も経《た》ってるし。だから仕方なくて兄貴に電話をかけてみたの。猫のことを探してくれそうな、占いとか霊能者とか、そういう人は知り合いにいないだろうかって。あなたは兄貴に何かを頼むのは嫌かもしれないけれど、あの人はうちのお父さんゆずりで、その手のことにはとても詳しいのよ」

「家庭的伝統」、入江を渡る夕暮れの風のようなクールな声で僕は言った。「でも綿谷昇と彼女とは、いったいどういう関係の知り合いなんだろう？」

妻は肩をすくめた。「きっとどこかでたまたま知り合ったんでしょう。最近はずいぶん顔が広くなったみたいだから」

「そうだろうね」

「その人、ものすごく優れた能力を持っているんだけど、かなり風変わりな人なんだって」と妻はフォークでマカロニ・グラタンを機械的につつきながら言った。「なんていったっけ、その人の名前？」

「加納マルタ」と僕は言った。「マルタ島で修行した加納マルタ」

「そう、その加納マルタさん。あなたはどういう風に思った、彼女のこと？」

「そうだな」と僕は言った。そしてテーブルの上に置いた自分の両手を眺《なが》めた。「彼女と話していて少なくとも退屈はしなかったし、退屈じゃないっていうのは悪くないよ。どうせわけのわからないことはこの世の中にいっぱいあるんだ。そして誰かがその空白を埋めなくてはならないんだ。誰かがそこを埋めなくちゃならないのなら、退屈な人たちよりは退屈じゃない人たちが埋めてくれた方がずっといい。そうだろう？　たとえば本田さんみたいなね」

妻はそれを聞いて楽しそうに笑った。「ねえ、あの人、いい人だったと思わない？　私、本田さんのこと好きだったわ」

「僕もだよ」と僕は言った。

結婚してから一年ばかりのあいだ、僕らは月に一度、その本田さんという老人の家を訪問した。彼は綿谷家が高く評価している〈神がかり〉のひとりだったが、耳がひどく悪くて、僕らの言うことがよく聞き取れなかった。補聴器をつけてはいたのだが、それでもほとんど聞こえないと言ってもいいくらいだった。おかげで僕らは障子紙がびりびりと震えそうなくらいの大声で彼に話しかけなくてはならなかった。あんなに耳が悪くちゃ霊の言うことだってろくに聞き取れないんじゃないか、と僕は思ったものだった。それともあるいは逆に、耳が悪いくらいの方が霊のことばは聞き取りやすかったのかもしれない。彼の耳がよく聞こえなくなったのは、戦争で受けた負傷のせいだった。彼は一九三九年に起ったノモンハンでの戦争に関東軍の下士官として従軍して、満州・外蒙古《もうこ》国境地帯でソ連と外蒙古の連合部隊と戦っているときに砲撃だか手榴弾《しゅりゅうだん》だかで鼓膜を破壊されたのだ。

僕らが本田さんに会いにいったのは、べつに霊能力を信じていたからではなかった。僕はそんなものに関心はなかったし、クミコにしたところで両親や兄やらに比べれば、その手のスーパーナチュラルな能力に対する信仰心は遥《はる》かに希薄だった。彼女はある程度は縁起をかついだし、不吉な予言をされると気に病みもした。しかし自分の方から進んでそのようなことに積極的にかかわろうとはしなかった。

僕らが本田さんに会いにいったのは、彼女の父親がそうしろと言ったからだった。もっとはっきりと言うなら、それが僕らの結婚を承諾する彼の条件だったのだ。結婚の条件としてはかなり奇妙なものだったが、僕らは無用なトラブルを避けるために従うことにした。正直に言って、僕もクミコも、自分たちの結婚が彼女の両親に簡単に承諾してもらえるとは思っていなかった。彼女の父親は役人だった。新潟県のあまり裕福とは言えない農家の次男坊だったのだが、奨学金をもらって東京大学を優秀な成績で卒業し、運輸省のエリート官僚になった。それだけなら僕だって立派なことだと思う。しかしそういった人物がなりがちなように、ひどくプライドが高く、独善的だった。命令することに馴《な》れ、自分の属している世界の価値観をみじんも疑うところがなかった。彼にとってはヒエラルキーがすべてだった。自分より上の権威にはかんたんにかしこまったが、下のものを踏みつけることに対してはいささかの躊躇《ちゅうちょ》も感じなかった。そんな人間が僕のような地位もなければ金もなく家柄《いえがら》もない、学歴もぱっとしなければ、未来の展望だってほとんどないに等しい、無一文の二十四歳の青年を娘の結婚相手として喜んで受け入れるだろうとは、僕もクミコも考えてはいなかった。僕らは両親に強く反対されたときには、自分たちだけで勝手に結婚して、彼らとは無関係に生きていくつもりだった。僕らは深く愛し合っていたし、若かった。親と離縁しても、無一文でも、二人だけで幸せに生きていけるという確信があった。

実際に僕が結婚の申込みに彼女の家に行ったとき、彼女の両親の反応はひどく冷たいものだった。まるで世界中の冷蔵庫のドアが一度に開け放たれたみたいだった。

僕はそのとき法律事務所で働いていた。司法試験を受けるつもりなのかと彼らは訊《き》いた。そうするつもりだ、と僕は言った。実際にそのときにはまだ、かなり迷いはあったにせよ、せっかくだから少し頑張《がんば》って試験に挑戦《ちょうせん》してみようかというつもりもあったのだ。しかし僕の大学での成績を調査すれば、僕がその試験に合格する見込みが薄いことは一目瞭然《りょうぜん》だった。要するに僕は彼らの娘と結婚するにはおよそ相応《ふさわ》しくない人間だったのだ。

でも彼らが僕らの結婚をしぶしぶなりとも承諾したのは——それは本当に奇跡に近いことだったのだが——本田さんのおかげだった。本田さんは僕についてのいろんな事情を聞いて、お宅の娘さんが結婚するのなら、これほど素晴らしい相手はまたとない、娘さんがこの人と結婚したいと言うのなら絶対に反対してはいけない、そうすることは非常に悪い結果をもたらすことになる、と断言したのだ。クミコの両親はその当時、本田さんのことを全面的に信頼していたから、それに対して異論を唱えることはできなかった。それでしかたなく僕を娘の夫として受け入れたというわけだ。

しかし結局のところ、彼らにとって僕は場違いな部外者であり、招待されなかった客だった。僕とクミコは結婚した当初は、月に二度ばかりなかば義務的に彼らの家を訪れて食事を一緒にしたものだったが、それは本当にうんざりする経験だった。それは無意味な苦行と残忍な拷問《ごうもん》のちょうど中間あたりに位置する行為だった。食事をしているあいだ、僕には、彼らが新宿駅くらいの長さのダイニング・テーブルを持っているみたいに感じられたものだった。向こうの方で彼らは何かを食べて話している。でも僕の存在はあまりに遠すぎて、彼らの目にはちいさくしか映らないのだ。結婚してから一年ほど経った頃《ころ》に、僕は彼女の父親と激しい喧嘩《けんか》をして、それ以来まったく顔を合わせなくなった。それで僕はやっと心の底からほっとすることができた。無意味で不必要な努力くらい人間を消耗させるものはないのだ。

結婚してしばらくのあいだ、僕は妻の一家と少しでも良い関係を保とうと僕なりに努力はしていたのだ。そして本田さんと月に一度会うことは、それらの努力の中では、明らかにいちばん苦痛の少ないものだった。

本田さんに対する謝礼は全部妻の父親が出してくれた。僕らは一升瓶《びん》を一本持って、目黒にある本田さんの家を月に一度訪問すればいいだけだった。そして話を聞いて帰ってくればいいのだ。簡単な話だ。

そして僕らはすぐに本田さんのことが好きになった。本田さんは耳が遠くて、いつもテレビを大音量でつけっぱなしにしていることを別にすれば(それは本当にうるさかった)、とても感じの良いおじいさんだった。彼はお酒が好きで、僕らが一升瓶を持っていくととても嬉《うれ》しそうな顔をした。

僕らが本田さんの家に行くのはいつも午前中だった。本田さんは夏も冬も座敷の掘りごたつに座っていた。冬にはそこに布団《ふとん》がかかって火が入れてあったし、夏には布団もなく火も入れてなかった。彼はかなり有名な占い師であったらしいが、その生活はきわめて質素なものだった。質素というよりはほとんど世捨て人に近いと言ってもいいくらいだった。家は小さく、玄関はやっとひとりが靴《くつ》を脱いだり履いたりできるくらいの広さしかなかった。畳は擦《す》り切れ、割れたガラス窓には接着テープが貼《は》ってあった。家の向かいは自動車の修理工場で、いつも誰かが大声で何かを怒鳴っていた。彼の着ている服は寝巻と作業着の中間のような代物《しろもの》で、近い過去に洗濯《せんたく》されたという痕跡《こんせき》はほとんど見受けられなかった。ひとり暮らしで、毎日家政婦がやってきて掃除をし、食事を作っていた。でも彼はどうやら、その理由はよくわからないのだが、自分の衣服の洗濯を固く拒んでいるようだった。そげた頰にはいつもうっすらと白い不《ぶ》精髭《しょうひげ》が生えていた。

彼の家にあるものでいささかなりとも立派なものがあるとすれば、それは威圧的なくらい巨大なカラーテレビだった。そしてテレビの画面はいつもＮＨＫの番組を映し出していた。本田さんがＮＨＫの放送を特別に愛していたのか、チャンネルを変えるのがただ面倒だったのか、それともＮＨＫしか入らない特殊なテレビだったのか、僕には判断できない。

僕らが行くと、彼は床の間に据《す》えられたテレビに向かって座り、ぜいちくをこたつの上でばらばらとかきまわしていた。そのあいだＮＨＫは料理番組やら盆栽の手入れの仕方やら定時ニュースやら政治座談会やらをいささかの中断もなく大音量で放送していた。

「あんたはあるいは法律には向かんかもしれんな」とある日本田さんは僕に向かって言った。あるいは彼は僕の二十メートルくらい後ろにいる誰かに向かって言ったのかもしれない。

「そうですか」と僕は言った。

「法律というのは、要するにだな、地上界の事象を司《つかさど》るもんだ。陰は陰であり、陽は陽であるという世界だ。我は我であり、彼は彼であるという世界だ。〈我は我、彼は彼なり、秋の暮れ〉。しかしあんたはそこには属しておらん。あんたが属しておるのは、その上かその下だ」

「その上と下とではどちらがいいのですか？」、僕は純粋な好奇心からそう質問してみた。

「どちらがいいというものでもない」と本田さんは言った。そしてしばらくのあいだ咳《せ》きこみ、ちり紙の上にぺっと痰《たん》を吐いた。彼はその自分の痰をひとしきり眺めてから、ちり紙を丸めてごみ箱に捨てた。「どちらがいいどちらが悪いという種類のものではない。流れに逆らうことなく、上に行くべきは上に行き、下に行くべきは下に行く。上に行くべきときには、いちばん高い塔をみつけてそのてっぺんに登ればよろしい。下に行くべきときには、いちばん深い井戸をみつけてその底に下りればよろしい。流れのないときには、じっとしておればよろしい。流れにさからえばすべては涸《か》れる。すべてが涸れればこの世は闇《やみ》だ。〈我は彼、彼は我なり、春の宵《よい》〉。我を捨てるときに、我はある」

「今は流れのないときなのですか？」とクミコが尋ねた。

「何？」

「今は流れのないときなのですか？」とクミコが怒鳴った。

「いいいいいいいいいいい」

「今はない」と本田さんはひとりでうなずきながら言った。「だからじっとしておればよろしい。何もせんでよろしい。ただし水には気をつけた方がいいな。この人はこの先、水に関連したことで苦労することになるかもしれん。あるべき場所にない水。あってはならん場所にある水。いずれにせよ水にはずいぶん気をつけた方がいい」

となりではクミコがいかにも真面目《まじめ》な顔をしてうなずいていた。でも僕には彼女が笑いをこらえているのがわかった。

「どんな水ですか？」と僕は訊いてみた。

「わからんけど、水だ」と本田さんは言った。

「わしも正直言って、水では本当に苦労した」と本田さんは僕の質問を無視して言った。「ノモンハンにはまったく水がなかった。戦線が錯綜《さくそう》しておって、補給というものが途絶えてしまったのだ。水もない。食糧もない。包帯もない。弾薬もない。あれはひどい戦争だった。後ろの偉いさんたちはどれだけ早くどこを占領するかということにしか興味がないのだ。補給のことなんか誰も考えてはおらんのだ。わしは三日間ほとんど水を飲まなかったことがある。朝に手《て》拭《ぬぐ》いを出しておくと、それにわずかに朝露がしみて、それを絞って数滴水を飲むことが出来たが、それだけだった。それ以外には水というものがまったくなかった。あのときは本当に死んだ方がましだと思うた。世の中に喉《のど》が渇くくらいつらいことはない。こんなに喉が渇くのならいっそのこと撃たれて死んだ方がましだと思ったくらいだった。腹を撃たれた戦友たちが、水を求めて叫んでおる。気が狂ってしまったものまでおった。あれはまさに生き地獄だった。目の前に大きな川が流れておる。そこに行けば水はいくらだってあった。でもそこまで行けんかった。わしらと川とのあいだには火炎放射器をつけたソ連の大型戦車がずうっと並んでおった。機関銃陣地が針山みたいに並んでおった。丘の上には腕の良い狙撃兵《そげきへい》もおった。夜中にも奴《やつ》らはどんどん照明弾を撃ち上げていた。わしらの持っておるのは三八式歩兵銃と、一人あたり二十五発の弾丸だけじゃった。わしの戦友の多くはそれでも川に水を汲《く》みに行った。我慢できんかったんじゃや。でも一人も帰ってはこんかった。みんな死んだ。なあ、じっとしておるときには、じっとしておるのがいいんだ」

彼はちり紙を取って大きな音を立てて鼻をかみ、自分の鼻水をしばらく点検してから、それを丸めて捨てた。

「流れというのが出てくるのを待つのは辛《つら》いもんだ。しかし待たねばならんときには、待たねばならん。そのあいだは死んだつもりでおればいいんだ」

「つまり僕はしばらくは死んだままでいたほうがいいということですか」と僕は訊いてみた。

「何？」

「つまり僕はしばらくは死んだままでいたほうがいいということですか」

「そのとおり」と彼は言った。「死んでこそ、浮かぶ瀬もあれ、ノモンハン」

それから彼は一時間ばかりずうっとノモンハンの話を続けた。僕らはただそれを聞いていた。一年間本田さんのところに月に一度通って、僕らが彼の「指示を受けた」ことなんてほとんどなかった。彼は占いなんてほとんどしなかったのだ。彼が僕らにする話のほとんどはノモンハン戦の話だった。隣にいた中尉《ちゅうい》の頭が砲弾で半分吹き飛んだり、ソ連の戦車にとびついて火炎瓶で焼いたり、砂漠《さばく》に不時着したソ連機のパイロットをみんなで追い詰めて射殺したり、そういう話ばかりしていた。それぞれはなかなか面白くスリリングな話だったが、世の常としてどんな話でも七回も八回も繰り返して聞くと、その輝きが若干薄れていく傾向がある。おまけにそれは「話をする」というような生易しい音量ではなかった。それは、風の強い日に崖《がけ》の向こう側に向かって怒鳴りつけているみたいな感じだった。あるいは場末の映画館の最前列で古い黒沢明の映画を見ているみたいな感じだった。僕ら二人は本田さんの家を出てしばらくのあいだ、よく耳が聞こえなかった程だ。

でも僕らは、少なくとも僕は、本田さんの話を聞くのが好きだった。それは僕らにとっては想像力の範囲を越えた話だった。多くは血なまぐさい話だったが、汚い服を着た今にも死にそうな老人の口から戦闘の一部始終を聞いていると、なんだかまるでおとぎ話のように現実味を失って響いた。彼らは半世紀近く前に満州と外蒙古との国境地帯で、草もまともに生えていないような一片の荒野をめぐって熾烈《しれつ》な戦闘を繰り広げたのだ。僕は本田さんの話を聞くまで、ノモンハン戦争のことなんてほとんど何も知らなかった。でもそれは想像を絶した壮絶な戦いだった。彼らはほとんど徒手空拳《くうけん》で優秀なソ連の機械化部隊に挑《いど》みかかり、そして押しつぶされたのだ。いくつもの部隊が壊滅し、全滅した。全滅を避けるために独断で後方に移動した指揮官は、上官によって自殺を強制されて空《むな》しく死んでいった。ソ連軍の捕虜になった兵士たちの多くは、敵前逃亡罪に問われることを恐れて戦後の捕虜交換に応ぜず、モンゴルの地に骨を埋めることになった。そして本田さんは聴覚を損なって除隊になり、こうして占い師になったのだ。

「でも結果的にはそれがよかったのかもしらん」と本田さんは言った。「もしわしが耳に負傷をせなんだら、たぶんわしは南方の島に送られて死んでいたことだろう。事実ノモンハンで生き残った兵隊たちの多くは、南方にやられて死んだんだ。ノモンハンは帝国陸軍にとっては生き恥を晒《さら》したような戦じゃったし、そこで生き残った兵隊はみんな、いちばん激しい戦場に送られることになったからな。まるでそれはあっちに行って死んでこいというようなものじゃった。ノモンハンででたらめな指揮をやった参謀たちは、あとになって中央で出世した。奴らのあるものは、戦後になって政治家にまでなった。しかしその下で命をかけて戦ったものたちは、ほとんどみんな圧殺されてしもうた」

「どうしてノモンハンの戦争が陸軍にとってそれほど恥ずかしいものだったんですか」と僕は尋ねてみた。「兵隊はみんな激しく勇敢に戦ったんでしょう。沢山の兵隊が死んでいったんでしょう。何故《なぜ》生き残った人たちがそんなに冷遇されなくてはならなかったんですか？」

でも僕の質問は彼の耳には届かなかったようだった。彼はぜいちくをもう一度じゃらじゃらとかきまわした。

「水には気をつけた方がいいな」と彼は言った。

それがその日の話の終わりだった。

僕が妻の父親と喧嘩をしてからあと、僕らは本田さんのところには行かなくなってしまった。妻の父親が金を払っているわけだから今までどおりというわけにはいかないし、さりとて自分でその謝礼（いったいどれくらいのものなのか見当もつかなかったが）を払うような経済的なゆとりは我々にはまったくなかった。結婚したころの僕らの経済状態は水面にやっと首を突き出している程度のものだったのだ。そしてやがて僕らは本田さんのことを忘れてしまった。たいていの若く忙しい人間がたいていの老人のことをいつのまにか忘れ去ってしまうようにだ。

ベッドに入ってからも、僕は本田さんのことを考えていた。僕は本田さんの言っていた水の話と、加納マルタの水の話をかさねあわせてみた。本田さんは僕に水に注意しろと言った。加納マルタは水を研究するためにマルタ島で修行を重ねた。偶然の一致かもしれないが、彼らはどちらもひどく水のことを気にしていた。それが少し気になった。それから僕はノモンハンの戦場の光景を思い浮かべてみた。ソ連軍の戦車と機関銃陣地、その向こうに流れる川。そして耐えがたいような激しい渇き。僕はその川の流れの音を闇の中にはっきりと聞くことができた。

「ねえ」と妻が小さな声で言った。「起きてる？」

「起きてる」と僕は言った。

「ネクタイのことなんだけどね、今やっと思いだした。あの水玉のネクタイを年末にクリーニングに出したのよ。皺《しわ》がよったままになっていたから、プレスしてもらわなくちゃと思って。そしてそれっきり取りにいくの忘れてたの」

「年末？」と僕は言った。「もう半年以上たってるぜ」

「うん。こんなことってまずないんだけどな。あなた私の性格知ってるでしょう？　そういうことって私は決して忘れたりしないのよ。弱っちゃったな。あれ、素敵なネクタイだったのにね」彼女は手をのばして、僕の腕に触れた。「駅前のクリーニング屋さんなんだけど、まだあると思う？」

「明日行ってみるよ。たぶんあると思う」

「どうしてそう思うの？　もう半年も経《た》っているのよ。普通のクリーニング屋さんだったら、引きとりにこないものは三ヵ月で処分しちゃうわよ。していいことになってるのよ。どうしてまだあると思うの？」

「加納マルタが大丈夫だって言っていたからさ」と僕は言った。「ネクタイはどこか家の外でみつかるだろうって」

暗闇の中で彼女がこちらに顔を向けるのが感じられた。「あなた信じるの、彼女の言うことを？」

「なんだか信じてもいいような気になってきた」

「そのうちにいつかあなたも兄貴と話が合うようになるんじゃないかしら」と妻は楽しそうな声で言った。

「かもしれない」と僕は言った。

妻が寝てしまったあとでも、僕はまだノモンハンの戦場のことを考えていた。そこではすべての兵士たちが眠っていた。満天の星が頭上にあり、無数のこおろぎが鳴いていた。そして川の流れが聞こえた。僕はその川の流れの音を聞きながら眠りについた。

5 レモンドロップ中毒、飛べない鳥と涸れた井戸

朝食の片づけを終えると、自転車に乗って駅前のクリーニング店に行った。クリーニング店の主人は額に深いしわのある四十代後半のやせた男で、棚《たな》の上に置いたラジオ・カセットでパーシー・フェイス・オーケストラのテープを聴いていた。低音専用のスピーカーなんかがついているJVCの大型ラジオ・カセットで、そのとなりにはカセット・テープが一山置いてあった。オーケストラはその華麗なストリングスを駆使して『タラのテーマ』を演奏していた。彼は奥の方で音楽にあわせて口笛を吹きながら、小気味のいい動作でシャツにスチーム・アイロンをかけていた。僕はカウンターの前に立ち、申し訳ないけれど、実はネクタイを去年の年末にクリーニングに出したまま忘れていたのだと言った。朝の九時半の彼のその安らかな小世界にとっては、僕の出現はギリシャ悲劇における不幸な知らせをもたらす使者の到来に似たものであ

ったに違いない。

「もちろん引換えのチケットもないんでしょうね」とクリーニング店の主人はひどく重みを欠いた声で言った。彼は僕に向かってそう言ったのではなかった。カウンターの横の壁に貼《は》ってあるカレンダーに向かってそう言ったのだ。カレンダーの六月の写真はアルプスの風景だった。そこには緑の谷があり、牛の群れがのんびりと草を食《は》んでいた。その向こうにあるマッターホルンだかモンブランだかには白いくっきりとした雲がかかっていた。それから彼は、〈どうせ忘れたんならずっと忘れてくれていればよかったのに〉という表情を浮かべて僕の顔を見た。それはなかなかストレートで雄弁な表情だった。

「去年の末ねえ、そいつはむずかしいなあ。半年も前だもの。いちおう見てはみるけど」

彼はアイロンのスイッチを切ってアイロン台の上に立て、『夏の日の恋』をテープにあわせて口笛で吹きながら、奥の部屋の棚をごそごそと探していた。

僕はその映画を高校のときにガールフレンドと二人で見た。トロイ・ドナヒューとサンドラ・ディーの出ている映画だ。リヴァイヴァルで、たしかコニー・フランシスの『ボーイハント』と二本立てだった。『避暑地の出来事』、僕の記憶によればそれはあまりぱっとしない映画だった。でも十三年後にクリーニング店の店先でそのテーマ音楽を聴いていると、その頃《ころ》のいいことしか思いだせなかった。

「ねえ、青い水玉のネクタイって言ったっけ？」とクリーニング屋の主人が言った。

「名前はオカダさんだっけ？」

「そう」と僕は言った。

「あんた運がいいよ」と彼は言った。


僕は家に帰るとすぐに妻の仕事場に電話をかけた。「ネクタイはちゃんとあったよ」と僕は言った。

「すごいじゃない」と妻は言った。

彼女の言い方にはどことなく、良い成績を取った子供を褒《ほ》めているときのような人工的な響きがあった。それは僕を少し居心地悪い気持ちにさせた。たぶん昼休みになるのを待って電話をかけるべきだったのだろう。

「みつかってほっとしたわ。ねえ、今ちょっと手が放せないのよ。これ割り込み電話なの。またお昼にでもかけなおしてくれる、悪いけど」

「お昼にかけるよ」と僕は言った。

電話を切ると、僕は新聞を持って縁側に行き、いつものようにそこに腹這《はらば》いに寝そべって求人広告のページを開け、その不可解な暗号と暗示に満ちた広告欄を、端から端までゆっくり時間をかけて読んでいった。世界にはありとあらゆる種類の職業が存在していた。それらはまるで新しい墓場の割当図のように、新聞の紙面を小綺麗《こぎれい》な枠《わく》できちんと区切って並んでいた。でもその中から自分に向いた職業をひとつ見つけだすことなんて、ほとんど不可能であるような気がした。たしかにその枠の中には、たとえ断片的ではあるにせよ、情報なり事実なりが存在しているのだけれど、その情報なり事実なりは、どこまで行ってもイメージというものにぶつからなかったからだ。そこにずらりと並んでいる名前や記号や数字は僕に、あまりにも細かくばらばらになってしまったせいで、復元することがもはや不可能になってしまった動物の骨を思わせた。

求人広告のページを長い時間じっと眺《なが》めていると、僕はいつもある種の麻痺《まひ》のようなものを感じることになった。自分が今いったい何を求めているのか、これからどこに行こうとしているのか、あるいはどこに行くまいとしているのか、そういうことが僕にはますますわからなくなってしまった。

例によって、ねじまき鳥がどこかの木の上で鳴いているのが聞こえた。ギイイイイイ、とそれは鳴いた。僕は新聞を置いて体を起こし、柱にもたれかかって庭を眺めた。すこしあとで鳥はもう一度鳴いた。隣の庭の松の木の上の方で、そのギイイイイイという鳴き声が聞こえた。目をこらしてみたが、鳥の姿を認めることはできなかった。鳴き声だけだ。いつものように。とにかくこのようにして世界の一日分のねじが巻かれるのだ。

十時前に雨が降りはじめた。たいした雨ではない。降っているのかいないのかよくわからない程度のかすかな雨だ。でも目をこらして見ると、たしかに雨が降っていることがわかる。世界には雨が降っているという状況と、雨が降っていないという状況とがあり、そのふたつの状況にはどこかで境界線が引かれなくてはならないのだ。僕はしばらくのあいだ、縁側に腰を下ろして、そのどこかにあるはずの境界線をじっと睨《にら》んでいた。

それから僕はこのあと昼食の時間まで近所の区営プールに泳ぎに行こうか、それとも路地に猫《ねこ》を探しに行こうかと迷った。縁側の柱にもたれかかって、庭に降る雨を眺めながらしばらくそれについて考えてみた。

プール／猫探し

結局猫を探しに行くことにした。猫はもうこの近所にはいないと加納マルタは言った。でもその朝、何となく猫を探しに行きたいような気持ちになっていた。猫を探しに行くのは既に僕の日常生活の一部になっていたし、それに僕が猫を探しに行ったことを知ったら、クミコだって少しは喜ぶかもしれない。僕は薄手のレインコートを着た。傘《かさ》は持たないことにした。テニスシューズを履き、レインコートのポケットに家の鍵《かぎ》とレモンドロップを幾つか入れて家を出た。庭を横切って塀《へい》に手をかけたときに電話のベルが鳴っているのが聞こえた。僕はそのままの姿勢でじっと耳を澄ませた。でもそれがうちの電話の音なのか、それともどこか別の家で鳴っている電話の音なのか、聞きわけることはできなかった。電話のベルの音というのは、一歩家を出てしまうとみんな同じように聞こえるものなのだ。僕はあきらめてそのブロック塀を乗り越え、路地に下りた。

草の柔らかみがテニスシューズの薄いゴム底に感じられた。路地はいつもより静かだった。しばらくそこに立って息をひそめて耳を澄ましてみたが、どのような音も聞き取れなかった。電話の音ももう止《や》んでいた。鳥の声も聞こえず、町の騒音も聞こえなかった。空は一分の隙《すき》もなく、単色のグレイに塗りつぶされていた。こういう日には、たぶん雲がいろんな地表の音を吸い込んでしまうのだろう。いや、彼らが吸い込んでしまうのは音だけじゃない。そこにはもっと他のいろんなものが吸い込まれてしまうのだ。たとえば感覚のようなものさえもが。

僕はレインコートのポケットに手をつっこんだまま、その狭い路地を抜け、やがて空き家の前に着いた。空き家はあいかわらずひっそりとそこにあった。雨戸をしっかりと釘《くぎ》づけされた二階建ての家屋は、低く垂れこめた灰色の雨雲を背景に、いかにも陰鬱《いんうつ》にそこにそびえていた。ずっと前の嵐《あらし》の夜に入江の岩礁《がんしょう》に乗り上げて、そのまま放棄されてしまった貨物船のように見えた。もし庭の雑草がこの前に見たときよりももっとその背丈を伸ばしていなかったなら、何かの理由でその場所だけ時間が停《と》まっているのだと言われても、あるいは僕は信じたかもしれない。何日か続いた梅雨の長雨のせいで、草の葉は鮮やかな緑に輝き、土に根を下ろしたものだけが発することのできる野放図な匂《にお》いをあたりに放っていた。その草の海のちょうど中央のあたりに、鳥の石像がこの前に見たときとまったく同じ姿勢で、今にも飛び立とうと翼を広げていた。しかしもちろんその鳥が飛び立てる可能性はなかった。それは僕にもわかっていたし、鳥にもわかっていた。それはそこに固定されたまま、どこかに運び去られるか、あるいは壊されるかするのを待っているだけだ。それ以外に、鳥がこの庭から出ていける可能性はなかった。そこで動くものといえば、ふらふらと草の上を彷徨《さまよ》っている季節遅れのモンシロチョウだけだった。モンシロチョウは、探し物をしているうちに、何を探しているのかわからなくなってしまった人のようにも見えた。五分ばかりみつかるあてもない探し物をしてから、蝶《ちょう》はどこかに行ってしまった。

僕はドロップを舐《な》め、金網の塀にもたれかかりながら、庭をしばらく眺めていた。猫の気配はなかった。どんな気配もなかった。そこは、何か強大な力で自然な流れを無理にせきとめられた淀《よど》みみたいに見えた。

ふと人の気配のようなものを背後に感じて、後ろを振りかえった。でも誰もいなかった。路地を隔てて向かいの家の垣根《かきね》があり、小さな戸口があった。この前、女の子が立っていた戸口だ。しかし戸口は閉まったままだし、垣根の向こうの庭にも人影はない。すべては微かな湿りけを含んで、しんとしている。雑草と雨の匂いがした。僕の着たレインコートの匂いがした。そして僕の舌の裏側には半分溶けたレモンドロップがあった。大きく息を吸い込むと、いろんな匂いがひとつになった。まわりをもう一度見回してみた。どこにも、誰もいなかった。じっと耳を澄ませると、遠くの方でくぐもったヘリコプターの音が聞こえた。彼らは雲の上を飛んでいるのだろう。でもその音もだんだん遠ざかり、やがてあたりはまたもとの沈黙に覆《おお》われた。

空き家の庭を囲んだ金網のフェンスの出入口には、やはり金網で作られた戸がついていた。試しに押してみると、あっけないほど簡単に開いた。まるで僕を招き入れようとするみたいに。たいしたことじゃないよ、簡単なことなんだ、ただすっと中に入ればいいんだよ、とその戸口は語りかけていた。でもいくら空き家とはいえ他人の家の敷地に勝手に足を踏み入れることは、約八年間にわたってこまごまと蓄積された僕の法律知識をあらためて持ち出すまでもなく、法律に反した行為だ。もし近所の人が空き家の中にいる僕の姿を見かけて、あやしんで警察に通報すれば、警官がすぐにやってきて僕を尋問する。猫を探していたのだと僕は言うだろう。飼っていた猫が行方不明になって、近所をあちこち探しまわっているのだ、と。警官たちは僕の住所と職業を尋ねるだろう。そうなると失業していることを言わなくてはならない。その事実はきっと相手に警戒心を抱かせるにちがいない。警察は最近極左のテロリストのことでひどく神経質になっていた。彼らは東京のいたるところに極左のテロリストのアジトがあって、その床下にはライフル銃と手製爆弾がごっそりと隠されていると思いこんでいた。ひょっとして僕の言い分を確認するために妻の仕事場に電話をかけるかもしれない。もしそんなことになったら、クミコはおそらくひどくとり乱すにちがいない。

でも、僕はその庭の中に入った。そして素早く後ろ手に戸を閉めた。かまうもんか、と僕は思った。何かが起こるのなら、起こればいい。何かが起こりたいのなら、起こればいい。かまわない。

　僕はゆっくりとあたりをうかがいながら庭を横切った。草を踏むテニスシューズはあいかわらず足音ひとつ立てなかった。名前のわからない丈の低い果樹が何本かあり、芝生の繁《しげ》ったかなり広い一画があった。しかし今ではすべてが草に覆われて、何が何かほとんど見分けもつかなくなっていた。果樹のうちの二本は醜いトケイソウの蔓《つる》にからみつかれて、そのまま窒息して死んでしまったみたいに見えた。金網にそって並んだ金木犀《きんもくせい》は、何かの病気で真っ白に汚れていた。小さな羽虫が耳元にしばらくうるさくつきまとっていた。

　僕は石像の脇《わき》を抜け、軒下に積みかさねられた白いプラスチックのガーデン・チェアのところまで行って、それを手に取ってみた。いちばん上になっていた椅子《いす》は泥《どろ》だらけだったが、そのひとつ下にあった椅子はそれほど汚れてはいなかった。手で表面のほこりを払い、その椅子の上に腰を下ろした。生い茂った雑草に隠れるような位置になっていたので、路地からは僕の姿は見えなかった。軒の下に入っているから、雨に濡《ぬ》れる心配もなかった。そこに座って、微かな雨を受けている庭を眺めながら、小さな音で口笛を吹いた。それが何の曲なのかしばらくのあいだ気がつかなかった。でもそれはロッシーニの『泥棒かささぎ』の序曲だった。変な女が電話をかけてきたときに、スパゲティーをゆでながら、やはり口笛で吹いていた曲だった。

誰もいない庭に座って、雑草と鳥の石像を眺めながら下手な口笛を吹いていると、なんだか自分が子供の頃に戻ったような気がした。僕は誰も知らない秘密の場所にいる。誰にも僕の姿を見ることはできない。そう思うと、とても静かな気持ちになれた。

脚を椅子の上にあげ、膝《ひざ》を折るようにして、その上で頬杖《ほおづえ》をついた。そしてしばらく目を閉じていた。相変わらず音は聞こえない。目を閉じた暗闇《くらやみ》は、雲に覆われた空に似ていたが、それよりはもう少しグレイが濃かった。そして何分か置きに誰かがやってきて、それを少し違った感触のグレイに塗りかえていった。金の混じったグレイや、そこに緑を加えたグレイや、赤の目立つグレイに。そんなにたくさんのグレイが存在することに僕は感心した。人間というのは不思議なものだな、と僕は思った。十分かそこらじっと目を閉じているだけで、こんなにたくさんの種類のグレイを見ることができるのだ。

僕はそんなグレイの色見本を眺めながら、しばらく何を思うともなく口笛を吹いた。

「ねえ」と誰かが言った。

僕は慌《あわ》てて目を開けた。そして横に身を乗り出すようにして、雑草の陰からフェンスの戸口の方を見た。戸は開いていた。開きっぱなしになっていた。僕のあとから誰かがここに入ってきたのだ。鼓動が激しくなった。

「ねえ」とその誰かはもう一度繰り返した。女の声だった。彼女は石像の陰から姿を現して、僕の方にやってきた。この前、向かいの家の庭で日光浴をしていた女の子だった。彼女は前と同じライトブルーのアディダスのTシャツを着て、ショートパンツをはいて、軽く足をひきずっていた。この前と違っているのは、サングラスをかけていないところだけだった。

「ねえ、そんなところでいったい何をしてるの？」と彼女は言った。

「猫を探しに来たんだよ」と僕は言った。

「本当？」と彼女は言った。「私にはそんな風には見えなかったけれどな。それに、そんなところにじっと座って、目をつぶって口笛吹いてたって猫はみつからないんじゃないかしら」

僕は少し赤くなった。

「べつに私はどうでもいいんだけれどね、知らない人がそういうの見たらヘンタイじゃないかって思うわよ。気をつけないと」と彼女は言った。「ヘンタイじゃないんでしょう、あなた？」

「違うと思う」と僕は言った。

　彼女は僕のそばに来て、軒の下に積み重ねられたガーデン・チェアの中から、汚れの少ないものを時間をかけて選び、それをもう一度仔細《しさい》に点検してから地面に置いて、そこに腰を下ろした。

「それに何の曲だかしらないけど、あなたの口笛、とてもメロディーには聞こえないわよ。ひょっとしてあなたおかまじゃないわよね？」

「違うと思う」と僕は言った。「どうして？」

「おかまって、口笛が下手だって聞いたから。それ、本当？」

「どうだろうな」

「べつにあなたがおかまだって、ヘンタイだって、なんだって、私はちっともかまわないんだけど」と彼女は言った。「あなたの名前はなんていうの。名前がわかんないと、呼びにくいから」

「オカダ・トオル」と僕は言った。

　彼女は僕の名前を口の中で何度か繰り返していた。「あまりぱっとしない名前じゃない、それ？」

「そうかもしれない」と僕は言った。「でもオカダ・トオルっていう名前にはなんとなく戦前の外務大臣みたいな響きがあると思うんだけど」

「そんなこと言われても私にはわかんないな。歴史のことは苦手なのよ。でもまあいいや、それは。それで、他に何かあだ名みたいなのはないの、オカダ・トオルさん？もっと呼びやすいやつが」

僕は考えてみたが、あだ名なんてひとつも思いだせなかった。生まれてこのかた、そんなものをつけられたことは一度もないのだ。どうしてだろう？「ない」と僕は答えた。

「たとえばクマさんとか、蛙《かえる》くんとか？」

「ない」

「やれやれ」と彼女は言った。「何かひとつ考えてよ」

「ねじまき鳥」と僕は言った。

「ねじまき鳥？」と彼女は半分口を開けて僕の顔を見た。「なあに、それ？」

「ねじを巻く鳥だよ」と僕は言った。「毎朝木の上で世界のねじを巻くんだ。ギイイイイイって」

彼女はまだじっと僕の顔を見ていた。

僕はため息をついた。「ただふっと思いついたんだ。それにその鳥は毎日うちのあたりに来るんだよ。隣の木の上でギイイイイって鳴くんだ。でもまだ誰もその姿を見たものはいない」

「ふうん」と彼女は言った。「でもまあいいや。それだってずいぶん言いにくいけど、オカダ・トオルよりはずっとマシだわ、ねじまき鳥さん」

「ありがとう」と僕は言った。

彼女は椅子に両足をあげて、顎《あご》を膝の上に載せた。

「それで君の名前は？」と僕は訊《き》いてみた。

「笠原メイ」と彼女は言った。「五月のメイ」

「五月に生まれたの？」

「当たり前でしょう。六月に生まれてメイなんて名前つけられたらややっこしくて仕方ないじゃない」

「それはそうだ」と僕は言った。「それでまだ君は学校に行ってないんだね？」

「あなたのことずっと見てたのよ、ねじまき鳥さん」笠原メイは質問には答えずにそう言った。「金網の戸を開けてこの庭に入っていくところを、部屋の中から双眼鏡で見ていたの。私、いつも手元に小さな双眼鏡を持ってるの。そしてこの路地のことを見張ってるの。あなたは知らないかもしれないけれど、ここはけっこういろんな人が通るのよ。人だけじゃなくていろんな動物も通るけれど。あなたはこんなところに座ってひとりでずっと何をしてたの、いったい？」

「ただぼんやりしてたんだよ」と僕は言った。「昔のことを思いだしたり、口笛を吹いたり」

笠原メイは爪《つめ》を嚙《か》んだ。「あなたちょっと変わってるわね」

「変わってない。誰だってやってる」

「そうかもしれないけれど、わざわざ近所の空き家に入ってそんなことする人はいないわよ。もしただぼんやりして、昔のことを思いだして、口笛を吹きたいのなら、そんなの自分の家の庭でやればいいいじゃない」

たしかにそのとおりだ。

「でもとにかく、猫《ねこ》のワタヤ・ノボルくんはまだ家に帰ってこないのね？」と彼女は言った。

僕は首を振った。「君はうちの猫を見なかった、あれから？」

「茶色の縞猫《しまねこ》で、尻尾《しっぽ》の先がちょっと折れ曲がっているやつでしょ。一度も見かけなかったな。あれからずっと気をつけて見てたんだけどね」

笠原メイはショートパンツのポケットからショート・ホープの箱を取り出し、紙マッチで火をつけた。しばらく黙って煙草《たばこ》を吸っていたが、やがて僕の顔をじっと見た。

「ねえ、あなた髪の毛薄くなってない？」

　僕は無意識に髪に手をやった。

「違うわよ」と笠原メイは言った。「そこじゃなくて、額の生え際《ぎわ》のところ。必要以上に後退していると思わない？」

「とくに気がつかなかったな」

「きっとそこから禿《は》げてくるわよ。わかるの、私。あなたの場合はね、だんだんね、こういう風に後退していくの」、彼女は自分の髪をぎゅっとつかんで後ろにひっぱり、剝《む》き出しになった白い額を僕の方に向けた。「気をつけた方がいいわよ」

　僕は自分の額の生え際に手をやってみた。そう言われれば、気のせいかもしれないけれど、髪の生え際は前に比べていくらか後退しているようにも感じられた。僕は少し不安になった。

「気をつけろって、どういう風に気をつければいいんだろう？」

「まあ実際には、気のつけようもないんだけどね」と彼女は言った。「禿げることに対する対抗策ってのはないのよ。禿げる人は禿げるし、禿げるときには禿げるのよ。そういうのって、止めようがないのよ。だからさ、よく言うじゃない。きちんと髪の手入れをしていれば禿げないんだって。でもそんなの嘘《うそ》よ。ウソ。だって新宿駅に行ってその辺に寝ころんでいる浮浪者のおじさんを見てごらんなさいよ。禿げてる人なんて誰もいないでしょう。でもあの人たちが毎日毎日クリニークだかサスーンだかのシャンプーで髪を洗っていると思う？　毎日毎日頭になんとかローションをごしごしと塗りこんでいると思う？　そんなの化粧品メーカーが適当なこと言って髪の毛の薄い人からお金をむしりとっているだけよ」

「なるほど」と僕は感心して言った。「でもどうして君はそんなに禿げることについて詳しいの？」

「私、ここのところずっとかつらのメーカーでアルバイトしてたの。どうせ学校にも行かないし、暇だったから。アンケートとかね、調査とかね、そういうのをやっていたわけ。だから禿の人のことについてはかなり詳しいのよ。情報をいっぱい持ってるの」

「ふうん」

「でもね」と彼女は言って、煙草を地面に落とし、靴《くつ》の底で踏んで消した。「私がアルバイトしている会社では絶対にハゲって言葉を使っちゃいけないの。私たちは『薄毛の方』って言わなくちゃいけないの。ハゲって、ほら、差別用語なのよ。私、一度冗談で『頭髪の不自由な方』って言ってみたの。そしたらすごく怒られちゃった。そういうことでふざけちゃいけないって。みんなすごおおく真面目《まじめ》に仕事してるんだから。ねえ知ってる？　世の中の人ってみんなだいたいすごおおく真面目なのよね」

僕はポケットからレモンドロップを出して、ひとつ口に入れ、笠原メイにも勧めてみた。彼女は首を振ってかわりに煙草をまたとり出した。

「ねえ、ねじまき鳥さん」と笠原メイは言った。「あなた失業していたのよね？　まだ失業してるの？」

「まだしてる」

「真面目に働くつもりはあるの？」

「あるよ」、でも自分の言ったことにだんだん自信が持てなくなってきた。「わからない」と僕は言いなおした。「なんというか、僕には考える時間が必要じゃないかっていう気がするんだ。自分でもはっきりとはわからないし、だからうまく説明もできないんだけど」

笠原メイはしばらく爪を噛みながら僕の顔を見ていた。

「ねえ、ネジマキドリさん、もしよかったら、今度私と一緒にそのかつらメーカーにアルバイトに行かない？　そんなにギャラはよくないけど、楽な仕事だし、時間だってかなり自由になるのよ。だから、あんまり深く考えないで、ちょっとそういう風に間に合わせの仕事をしてみたら、いろんなことがもっとわかりやすくなるんじゃないかしら。気分転換にもなるし」

それも悪くないな、と僕は思った。「悪くないな」と僕は言った。

「オーケー、じゃあ今度迎えに行くわ」と彼女は言った。「家はどこだっけ？」

「ちょっと説明しにくいんだけどね、この路地をずっと行って、道なりに何度か曲ると左手に赤いホンダ・シビックが停《と》めてある家がある。バンパーに『世界人類が平和でありますように』っていうステッカーが貼《は》ってある。その一軒先がうちなんだけど、路地に面した入口はないから、ブロック塀《べい》を乗り越えなくちゃならないんだ。僕の背丈よりちょっと低いくらいの塀なんだけど」

「大丈夫よ。それくらいの塀なら楽に乗り越えられるから」

「足はもう痛くないの？」

彼女はため息をつくような音を出して、煙草の煙を吐きだした。「大丈夫よ。学校に行きたくないから無理に足を引きずってるのよ。親の手前そういうフリしてるだけ。でもいつのまにかそれが癖になっちゃったの。誰も見てないときでも、ひとりっきりで部屋にいるときでも足の悪いふりをするようにしているの。私、完全主義者なの。他人をあざむくには、まず自分をあざむけっていうじゃない。ねえ、ネジマキドリさん、あなた勇気はあるほう？」

「たいしてないと思う」と僕は言った。

「好奇心はある？」

「好奇心なら少しはある」

「勇気と好奇心は似ているものじゃないの？」と笠原メイは言った。「勇気のあるところには好奇心があって、好奇心のあるところには勇気があるんじゃないかしら」

「そうだね。たしかに似たところはあるかもしれないな」と僕は言った。「そして場合によっては、君が言うように好奇心と勇気とがひとつにかさなるということはあるかもしれない」

「黙って他人の家に入ったりするような場合にはね」

「そのとおり」、僕は舌の上でレモンドロップを転がした。「黙って他人の家の庭に入ったりするようなときには、好奇心と勇気は一緒に行動しているように見える。ときによっては、好奇心は勇気を掘り起こして、かきたててもくれる。でも好奇心というものはほとんどの場合すぐに消えてしまうんだ。勇気の方がずっと長い道のりを進まなくちゃならない。好奇心というのは信用のできない調子のいい友達と同じだよ。君のことを焚《た》きつけるだけ焚きつけて、適当なところですっと消えてしまうことだってある。そうなると、そのあと君はひとりで自分の勇気をかき集めてなんとかやっていかなくちゃならない」

　彼女はそれについてしばらく考えていた。「そうね」と彼女は言った。「たしかにそういう考え方もあるかもね」、笠原メイは椅子《いす》から立ち上がると、ショートパンツのお尻《しり》についたほこりを手ではたいた。そして僕の顔を見下ろした。「ねえ、ネジマキドリさん、井戸を見たくない？」

「井戸？」と僕は訊いた。井戸？

「涸《か》れた井戸があるのよ、ここ」、彼女は言った。「私、その井戸のことがわりに好きなんだけど、ネジマキドリさんは見たくない？」

　井戸は庭を抜けて、家屋の横手にまわりこんだところにあった。直径はおおよそ一メートル半くらいの丸いかたちの井戸で、分厚い丸い板の蓋《ふた》が上に被《かぶ》せてあり、蓋の上にはおもしとしてコンクリート・ブロックがふたつ置いてあった。地面から一メートルほど立ち上がった井戸の縁の近くには、まるでその井戸を自分が護《まも》っているのだとでもいうように、古い木が一本はえていた。何かの果樹のように見えたが、名前まではわからない。

井戸は、この家屋に属する他の事物と同じように、かなり長い期間にわたって放棄され、見捨てられてしまっているようだった。そこには、〈圧倒的な無感覚〉とでも呼びたくなるようなものが感じられた。あるいは人々が視線を注ぐことをやめると、無生物はもっと無生物的になるのかもしれない。

でも近くに寄って注意深く観察してみると、この井戸が実際には、まわりにある他のものたちよりはずっと古い時代に作られたものであるらしいことがわかった。たぶんこの家が建てられるずっと前から、井戸はここに存在していたのだろう。蓋の板からして、いかにも古いものだった。井戸の壁はセメントでしっかりと塗り固めてあったけれど、それはどうやら以前からあった何かの壁の上に――たぶん補強のためだろう――あらたにセメントを塗って固めたように見えた。井戸の横に立っている木までが、自分はまわりのほかの木よりはずっと昔からここにいたのだと主張しているような印象を与えていた。

ブロックをどかし、半月形にふたつに分れた板の部分をとって、井戸の縁に手をかけて身を乗り出すように中を覗《のぞ》き込んでみたが、とても底までは見通せなかった。かなり深い井戸であるらしく、それは途中からすっぽりと暗闇《くらやみ》の中に吸い込まれていた。僕は匂《にお》いをかいでみた。少しだけ黴臭《かびくさ》い匂いがした。

「水はないのよ」と笠原メイが言った。「水のない井戸」

飛べない鳥、水のない井戸、と僕は思った。出口のない路地、そして……。

彼女は足元に落ちていた煉瓦《れんが》の破片を手に取って、井戸の中に放《ほう》り投げた。少しあとでぽとっという小さな乾いた音が聞こえた。それだけだった。手にとってすりつぶしてしまえるんじゃないかと思えるような、かさかさに乾いた音だった。僕は体を起こして笠原メイの顔を見た。「どうして水がないんだろうね。涸れてしまったのかな、それとも誰かが埋めたのかな」

彼女は肩をすくめた。「もし埋めたのなら、全部埋めちゃうもんじゃないの。こんな風に中途半端《はんぱ》に穴だけ残しておいたって意味ないし、誰かが落ちたりしたら危ないじゃない。そう思わない？」

「それはたしかにそうだ」と僕は認めた。「たぶん何かの加減で水が涸れちゃったんだろうね」

以前本田さんが言ったことをふと思いだした。〈上に行くべきときには、いちばん高い塔をみつけてそのてっぺんに登ればよろしい。下に行くべきときには、いちばん深い井戸をみつけてその底に下りればよろしい〉。とりあえず、井戸はここにひとつみつかったわけだ。

もう一度身をかがめて、何を考えるともなくその暗闇をただじっと見下ろしてみた。こんなところに、こんな昼間に、こんな深い暗闇がある、と僕は思った。咳払《せきばら》いをし、唾《つば》を呑《の》み込んだ。咳払いは暗闇の中で、誰かべつの人間の咳払いのように響いた。唾の中にはレモンドロップの味が残っていた。

僕はその井戸にまた蓋をかぶせ、ブロックをもとどおりに載せた。そして腕時計を見た。もう十一時半に近くなっていた。昼休みにクミコに電話をしなくてはならなかった。

「そろそろ家に帰らなくちゃ」と僕は言った。

笠原メイはちょっと顔をしかめた。「いいわよ、ねじまき鳥さん。家に帰りなさい」

僕らが庭を横切るとき、鳥の石像は相変わらずその乾いた目で空を睨《にら》んでいた。空はやはり一分の隙《すき》もなく灰色の雲に覆《おお》われていたが、雨はもうやんでいた。笠原メイは草の葉をひとつかみむしって、それから空中に放った。風はなかったから、草の葉はそのままばらばらと彼女の足元に落ちた。

「ねえ、これから日が暮れるまでにずいぶん時間があるわね」と彼女は僕の顔を見ずに言った。

「ずいぶんある」と僕は言った。

6

岡田久美子はどのようにして生まれ、綿谷ノボルはどのようにして生まれたか

僕には兄弟というものがいないから、既に成人し、それぞれに独立した生活を送っている兄弟や姉妹がどんな感情を抱いてお互いに接するものなのか、うまく想像することができない。クミコは綿谷ノボルのことが話題にのぼると、何か変わった味のするものを間違えて口の中に入れてしまったときのような、ちょっと奇妙な表情をいつも顔に浮かべるわけだが、その表情の奥にどのような感情がひそんでいるのか、僕にはもうひとつよくわからない。僕が彼女の兄に対して好感と呼べるような感情を微塵《みじん》も持っていないことをクミコは承知しているし、それも当然だろうと考えている。そして彼女自身にしたところで、綿谷ノボルという人物を決して好ましく思っているわけではない。だからもし仮に彼女と綿谷ノボルとのあいだに兄と妹という血縁関係が存在しなかったなら、彼ら二人が親しく言葉を交わすような可能性はほとんどなかっ

ただろうと思う。しかし実際には彼らは兄と妹であり、従って物事はもう少し複雑な様相を帯びることになる。

今ではクミコと綿谷ノボルが現実的に顔を合わせる機会はほとんどない。僕は妻の実家とはまったく行き来がない。前にも言ったようにクミコの父親と喧嘩《けんか》をして、決定的に訣別《けつべつ》してしまった。それはかなり激しい喧嘩だった。僕は生まれてこのかた数えるほどしか人と喧嘩をしたことがないが、でもそのかわり、一度やりだすと真剣になるし、途中でやめることができなくなってしまう。でも言いたいことを洗いざらい言ってしまったあとでは、父親に対して不思議に腹が立たなかった。長いあいだ担《かつ》がされていた重荷からやっと解放されたような気がしただけだった。憎しみも怒りも残らなかった。あの人の人生も——それが僕の目から見てどれほど不快で愚かしい形態をとっていたにせよ——それなりに大変なものだったのだろうとさえ思った。もう一切君の父親とも母親とも会わない、と僕はクミコに言った。でももし君が両親に会いたいのなら、それは君の自由だし、僕には関係のないことだ。でもクミコは彼らに会いに行こうとはしなかった。「いいのよ、べつに。これまでだってとくに会いたくて会ってたというわけでもないんだから」とクミコは言った。

綿谷ノボルは当時既に両親と同居していたわけだが、そのときの僕と父親との喧嘩にはまったく関与せずに、超然としてどこかに引っ込んでいた。それは別に不思議なことではなかった。何故《なぜ》なら綿谷ノボルは僕という人間に対して一切の関心を持っていなかったし、どうしてもやむを得ない場合を別にすれば、僕と個人的な関《かか》わりを持つことを拒否していたからだ。だから妻の実家との行き来をやめてしまうと、僕が綿谷ノボルと顔を合わせる理由もなくなった。そしてクミコにしたところでやはり彼とあえて顔を合わせる理由を持たなかった。彼も忙しかったし、彼女も忙しかった。それに二人はもともとそれほど親密な仲の兄妹というわけでもないのだ。

それでもクミコはときどき大学の研究室に電話をかけて綿谷ノボルと話をしている。綿谷ノボルもときどき彼女の会社に電話をかけてくる（僕たちの家には絶対に電話をかけてこない）。今日は兄貴のところに電話したんだけれどだとか、今日は兄貴が私の会社に電話をかけてきたんだけれどとか、クミコは僕に報告する。でも彼らが電話で何を話したのかはわからない。僕はとくに尋ねないし、彼女も必要がなければとくに説明はしない。

僕はべつに彼女と綿谷ノボルとの会話の内容に興味を抱いているわけではない。あるいはまた妻と綿谷ノボルとが電話で話をしていることを、不快に思っているわけでもない。ただ正直に言って、僕にはよく理解できないだけなのだ。クミコと綿谷ノボルという、どう考えてもあまり話の合いそうにない二人の人間のあいだにいったいどのような話題が存在するのか、そしてそれは兄妹という特殊な血縁のフィルターを通して初めて成立するものなのかどうかということが。

僕の妻と綿谷ノボルは兄妹とはいっても、年齢が九歳も離れていた。それに幼い頃《ころ》、何年間かクミコが父親の実家に引き取られて育てられたせいもあって、二人のあいだには兄妹の親しさのようなものはあまり見受けられなかった。

もともと綿谷ノボルとクミコは二人兄妹ではなかった。彼ら二人のあいだにはもうひとり、クミコの姉にあたる女の子がいた。クミコより五歳年上だった。だから彼らはもともとは三人兄妹だったのだ。でも三歳になったときに、クミコは父親の実家に引き取られるような恰好《かっこう》で、東京を離れて新潟に行った。そして祖母の手で育てられた。生まれつき体があまり丈夫ではなかったので、空気のいい田舎で育てた方がよかったから、というのがあとになって両親の口から教えられた理由だったが、クミコにはそれが納得できなかった。彼女はとくにひ弱というわけではなかったからだ。大きな病気をしたこともなかったし、田舎に住んでいたときも、まわりの人たちから体に気をつかわれたような覚えもなかった。「そんなのはたぶん、ただの言い訳なのよ」

とクミコは言った。

ずっとあとになって親戚《しんせき》の一人から聞いた話によると、祖母とクミコの母親とのあいだには長年にわたる激しい確執があり、クミコが新潟の実家に引き取られたのは、いわばその両者のあいだの暫定《ざんてい》協約のようなものだった。クミコの両親は一時的に彼女を与えることによって祖母の怒りを鎮《しず》め、祖母の方はおそらく孫の一人を手元に置くことで、自分が息子に対して（つまりクミコの父親に対して）つながりを持っていることを、具体的に確認することができたのだ。人質のようなものだ。

「それに」とクミコは言った。「もう既に兄と姉がいたから、私が一人いなくなったところでとくに不便はなかったのよ。もちろん両親には私を捨てるつもりはなかったんだろうけど、まだ小さいんだし少しくらいはかまわないだろうというような軽い気持ちで、あっちに渡したんだと思うの。いろんな意味で、みんなにとってそれがいちばん楽な解決だったんでしょうね。そんなのって信じられる？　どうしてだかはわからないけれど、あの人たちには全然わかってなかったのよ。そういうのが小さな子供にどんなひどい影響を及ぼすかということが」

彼女は新潟の祖母のもとで三歳から六歳まで育った。それは決して不幸な生活でも不自然な生活でもなかった。クミコは祖母に溺愛《できあい》されて暮らしていたし、また年齢の離れた兄や姉と一緒にいるよりは、もっと年齢の近い従兄弟《いとこ》たちと遊んでいる方がむしろ気楽でもあった。小学校に上がる歳《とし》になって、彼女はやっと東京に戻されることになった。両親がクミコと長く離れていることにだんだん不安を覚えてきて、手遅れにならないうちにということで無理に東京に連れ戻したのだ。しかしある意味ではもう既に手遅れだった。彼女が東京に戻ると決まってからの何週間か、祖母はひどく興奮し、気を昂《たかぶ》らせた。祖母は食事を絶ち、ほとんど眠ることもできなくなった。彼女は泣いたり、激怒したり、黙り込んだりした。クミコを思い切り抱きしめていたかと思うと、その次の瞬間にはみみずばれができるくらい強く物差しで彼女の腕を打った。そしてクミコの母親がどれくらいひどい女かということを口汚く言って聞かせた。お前を放したくない、お前の顔がもう見られないならこのまま死んだ方がいいと言うかと思えば、お前なんかもう見たくもない、さっさと何処《どこ》かに行ってしまえとも言った。祖母は鋏《はさみ》を持ち出して自分の手首を突こうとさえした。自分のまわりでいったい何が起ころうとしているのか、クミコにはまったく理解できなかった。

そのときにクミコがやったのは心を外界から一時的に閉ざしてしまうことだった。何かを考えたり、何かを望んだりすることを一切やめてしまうのだ。状況は彼女の判断能力を遥《はる》かに越えていた。クミコは目を閉じ、耳を塞《ふさ》ぎ、思考を停止した。それから何ヵ月かのあいだの記憶は彼女にはほとんどない。そのあいだに何が起こったのか、何ひとつ覚えていないという。しかしとにかく気がついたときには、クミコは新しい家庭の中にいた。それは本来彼女がいるべきはずの家庭だった。そこには両親がいて、兄と姉がいた。しかしそれは彼女の家庭ではなかった。それはただの新しい環境だった。

　どのような事情で自分が祖母から引き離されて、そこに連れてこられたのか、クミコにはわからなかったけれど、新潟の家での生活にはもう戻らないということだけは本能的に理解できた。しかしその新しい場所は、六歳のクミコにとってはほとんど理解を越えた世界だった。クミコがそれまでにいた世界と、その世界とでは何もかも違った様相を呈していたし、似たように見えるものも、まったく違う動き方をしていた。彼女にはその世界を成立させている基本的な価値観や原理のようなものを把握《はあく》することができなかった。新しい家族との会話に加わることさえできなかった。

　クミコはそんな新しい環境の中で、無口で、気むずかしい少女になった。彼女は誰を信用し、誰に無条件に寄りかかればいいのか、見極めることができなかった。たまに母親や父親の膝《ひざ》に抱かれても、心はやすまらなかった。彼らの体が発する匂《にお》いは彼女には覚えのないものだったからだ。その匂いは彼女をひどく落ちつかない気持ちにさせた。ときにはその匂いを憎みさえした。家族の中で彼女が辛うじて心を開くことができるのは、姉だけだった。両親はクミコの気むずかしさに戸惑っていたし、兄はその当時から彼女が存在することにすらほとんど注意を払わなかった。しかし姉だけは、彼女が混乱し、孤独の中にじっと座り込んでいることを知っていた。彼女は我慢強くクミコの面倒をみた。クミコと同じ部屋で眠り、少しずついろんな話をし、本を読んでやり、一緒に学校に行って、学校から帰ると勉強をみてやった。彼女が部屋の隅《すみ》で何時間も一人で泣いていると、そのそばにいてじっと抱きしめていてやった。そして少しでも妹の心を開いてやろうと努めた。だからもし彼女が家に戻ってきた翌年にその姉が食中毒の事故で死んでしまわなかったなら、いろんな事情はずいぶん違っていたことだろう。

「もしお姉さんがずっと生きていてくれたら、私たちの一家はもう少しうまく行っていたと思うのよ」とクミコは言った。「お姉さんはまだ小学校の六年生だったけれど、それでも既に私たちの一家の、いわば要《かなめ》のような存在だったの。彼女がずっと死なないでいてくれたなら、私たちはみんな今よりはまともになっていたかもしれない。少なくとも私は今より幾らかは救われていたと思う。ねえ、わかる？　私はそれ以来ずっとみんなに対して罪悪感を感じつづけてきたのよ。どうしてお姉さんのかわりに私が死んでしまわなかったのかって。どうせ私なんか生きてたって、誰の役にも立たないし、誰を喜ばせることもできないのにってね。そして私の両親も、兄貴も、私がそう思っていることを感じていながら、私に対して暖かい言葉ひとつかけてはくれなかったのよ。それどころかあの人たちは機会があるごとに、死んだお姉さんの話をしたわ。彼女がどんなに綺麗《きれい》で、どんなに頭の良い子だったか。どれほどみんなに好かれたか。どんなに思いやりがあって、どんなにうまくピアノを弾いたか。ねえ、私もピアノを習わされたのよ。お姉さんが死んじゃったあと、うちにグランド・ピアノが残っていたから。でも私はピアノを弾くことに興味すら持てなかったのよ。私にはお姉さんみたいにうまく弾けないだろうってことがわかっていたし、私は自分がお姉さんよりあらゆる点で劣った人間だということをいちいち証明したくはなかったの。私は誰のかわりにもなれないし、そんなものになりたくもないの。でもあの人たちは私の言うことなんか聞いてはくれなかった。私の言うことなんか誰も聞いてはくれないのよ。だから私は未《いま》だにピアノを見るのも嫌《いや》なの。ピアノを弾いている人の姿を見るのも嫌なの」

その話をクミコから聞いたとき、僕は彼女の家族に腹を立てた。彼らがクミコに対してなした行為について。彼らがクミコに対してなさなかった行為について。その頃僕らはまだ結婚していなかった。知り合ってまだ二月ちょっとしか経《た》っていなかった。それは静かな日曜日の朝で、僕らはベッドの中にいた。彼女はもつれたひもをほどいていくみたいに、ゆっくりとひとつひとつ確認しながら、自分の少女時代の話をした。クミコがそんなに長く自分の話をしたのは、それが初めてだった。それまで僕は彼女の家庭や生いたちについてはほとんど何も知らなかったのだ。僕がクミコについて知っていることといえば、彼女が無口で、絵を描《か》くのが好きで、まっすぐな綺麗な髪をして、右の肩甲骨の上にほくろがふたつあるということだけだった。そして彼女にとって、僕と寝たのが最初の性体験だった。

話をしながらクミコは少し泣いた。泣きたくなる気持ちは、僕にもよくわかった。僕は彼女を抱き、髪を撫《な》でた。

「もしお姉さんが生きていたら、あなたもきっとあの人のことが好きになったと思うわ。誰だってあの人のことは一目で好きになったのよ」とクミコは言った。

「あるいはそうかもしれない」と僕は言った。「でもとにかく僕は君のことが好きなんだ。ねえ、これはとても単純なことなんだよ。これは僕と君とのあいだのことであって、君のお姉さんとは何の関係もないんだ」

それからしばらくクミコは口を閉ざしたままじっと何かを考えていた。日曜日の朝の七時半には、すべての音がやさしく虚《うつ》ろに響く。僕はアパートの屋根の上にいる鳩《はと》の足音を聞き、誰かが遠くの方で犬の名前を呼ぶ声を聞いた。クミコは本当に長いあいだ天井の一点を見つめていた。

「あなた猫《ねこ》は好き？」とクミコは僕に訊《き》いた。

「猫は好きだよ」と僕は言った。「とても好きだ。子供の頃にはずっと猫を飼っていた。いつも猫と一緒に遊んでいたんだ。寝るときだって一緒だった」

「そういうのって素敵でしょうね。私も子供の頃から猫が飼いたくてしかたなかったの。でも飼わせてもらえなかった。お母さんが猫嫌《ねこぎら》いだったからなの。これまでの人生で、何かを本当に欲しいと思ってそれが手に入ったことなんてただの一度もないのよ。ただの一度もよ。そんなのってないと思わない？　そういうのがどんな人生か、あなたにはきっとわからないわ。自分が求めているものが手に入らない人生に慣れてくるとね、そのうちにね、自分が本当に何を求めているのかさえだんだんわからなくなってくるのよ」

僕は彼女の手を取った。「たしかにこれまではそうだったかもしれない。でも君はもう子供じゃないんだし、自分の人生を選びなおす権利があるんだよ。猫が飼いたいのなら、猫が飼える人生を自分で選べばいいんだ。簡単なことだ。君にはそうする権利がある。そうだろう？」と僕は言った。

クミコはじっと僕の顔を見ていた。「そうね」と彼女は言った。それから何ヵ月かあとに、僕とクミコは結婚の話をしていた。


クミコがその家庭の中で屈折した複雑な少女時代を送ったとすれば、綿谷ノボルは別の意味で不自然に歪《ゆが》んだ少年時代を送った。彼の両親はそのひとり息子を溺愛したが、ただ可愛《かわい》がるというだけではなく、同時にきわめて多くのものを彼に要求した。父親は日本という社会の中でまっとうな生活を送るためには少しでも優秀な成績を取って、一人でも多くの人間を押しのけていくしかないという信念の持ち主だった。本当に真剣にそう信じていたのだ。

結婚してまだ間もない頃に、僕は義父の口から直接その話を聞いたことがある。人間はそもそも平等なんかに作られてはいない、と彼は言った。人間が平等であるというのは、学校で建前として教えられるだけのことであって、そんなものはただの寝言だ。日本という国は構造的には民主国家ではあるけれど、同時にそれは熾烈《しれつ》な弱肉強食の階級社会であり、エリートにならなければ、この国で生きている意味などほとんどど何もない。ただただひきうすの中でゆっくりとすりつぶされていくだけだ。だから人は一段でも上の梯子《はしご》に上ろうとする。それはきわめて健全な欲望なのだ。人々がもしその欲望をなくしてしまったなら、この国は滅びるしかないだろう。僕は義父のそのような意見に対してとくに何の感想も言わなかった。それに彼は僕の意見なり感想なりを求めていたわけでもないのだ。彼は未来永劫《えいごう》にわたって変わることのない自らの信念を吐露していただけなのだ。

母親の方は東京の山の手で何の不足もなく育った高級官僚の娘で、夫の意見に対抗できるような意見も人格も持ちあわせてはいなかった。僕の見た限りでは、彼女は自分の目に見える範囲を越えた物事に対しては（実際には彼女はひどい近眼だったのだが）どのような意見も持っていなかった。それ以上の広い世界に対して自分の意見を持つ必要がある折りには、彼女はいつも夫の意見を借用した。あるいはそれだけなら、彼女は誰に迷惑をかけることもなかったかもしれない。しかし彼女の欠点は、そのようなタイプの女性が往々にしてそうであるように、どうしようもないほどの見栄《みえ》っぱりであることだった。自分の価値観というものを持たないから、他人の尺度や視点を借りてこないことには自分の立っている位置がうまくつかめないのだ。その頭脳を支配しているのは「自分が他人の目にどのように映るか」という、ただそれだけなのだ。

そのようにして、彼女は夫の省内での地位と、息子の学歴だけしか目に入らない狭量で神経質な女になった。そしてその狭い視野に入ってこないものは、彼女にとっては何の意味も持たないものになってしまった。彼女は息子に対して、最も有名な高校に行って、最も有名な大学に行くことを要求した。息子が一人の人間としてどのような幸せな少年時代を送り、その過程でどのような人生観を身につけていくかというようなことは、想像力の遥か枠外《わくがい》にあった。もし誰かがそのような点についていささかなりとも疑問を呈したりしたら、彼女はおそらく真剣に腹を立てたことだろう。それはおそらく、彼女の耳にはいわれのない個人的な侮辱のように響いたことだろう。

そのようにして両親は幼い綿谷ノボルの頭の中に彼らの問題に満ちた哲学や、いびつな世界観を徹底的にたたき込んだ。彼らの関心は長男である綿谷ノボル一人の上に集中した。両親は綿谷ノボルが誰かの背後に甘んじることを決して許さなかった。クラスやら学校といった狭い場所で一番を取れないような人間が、どうしてもっと広い世界で一番を取れるのだ、と父親は言った。両親はいつも最高の家庭教師をつけ、息子の尻《しり》を叩《たた》きつづけた。優秀な成績を取れば、彼らはその褒美《ほうび》として息子が望むものを何でも買って与えた。おかげで彼は物質的にはきわめて恵まれた少年時代を送った。しかし人生における最も多感で傷つきやすい時期に、彼にはガールフレンドを作る暇もなく、友達と羽目を外して遊ぶ余裕もなかった。一番でありつづけるために、その目的だけのために、あらゆる力を傾注しなくてはならなかったのだ。そのような生活を綿谷ノボルが好んでいたのかどうか、僕にはわからないし、クミコにもわからない。綿谷ノボルは彼女に対しても、両親に対しても、また他の誰に対しても、自分の気持ちを正直に打ち明けたりする人間ではなかった。でもそんな生活を好んでいたにせよいなかったにせよ、どのみち選択の余地はなかっただろう。僕は思うのだけれど、ある種の思考のシステムは、その一面性、単純性の故《ゆえ》に反駁《はんばく》不可能なものになってしまうのだ。いずれにせよそのようにして彼は優秀な私立高校から、東大の経済学部へと進み、優等に近い成績でそこを卒業した。

父親は彼が大学を卒業したあと役人になるか、あるいはどこかの大きな企業に入ることを期待していたのだが、彼は大学に残って学者になる道を選んだ。綿谷ノボルは馬鹿《ばか》ではなかった。現実の世の中に出て集団の中で行動するよりは、知識をシステマティックに扱う訓練を必要とし、個人的な知的技能がより重視される世界に残った方が自分には向いているということがわかっていたのだ。彼はイェールの大学院に二年間留学し、それから東大の大学院に戻った。日本に戻ってしばらくしてから両親に勧められるままに見合いをして結婚したが、その結婚生活は結局二年間しか続かなかった。離婚すると彼はそのまま実家に戻って、両親とともに暮らすようになった。そして僕が初めて彼に会ったころには、綿谷ノボルはかなり奇妙で不愉快な人物になっていた。

今から三年前、三十四歳の年に彼は一冊の分厚い本を書き上げて発表した。それは専門的な経済学の本で、僕も手に取って読んでみたのだが、正直に言ってさっぱり理解できなかった。ほとんど一ページも理解できなかったといってもいい。読み進もうにも、文章そのものが読解できなかったのだ。そこに書かれている内容そのものが難解なのか、あるいはただ単に文章が悪文なのか、それすら判断できなかった。しかしその本は専門家のあいだではけっこう話題になった。何人かの批評家がその本を「まったく新しい観点から書かれたまったく新しい種類の経済学」として絶賛し、批評を書いたが、それらの批評の言わんとしていることすら僕にはぜんぜん理解できなかった。しかしやがてマス・メディアは少しずつ彼を新しい時代のヒーローとして紹介し始めた。彼のその本を解釈する本まで何冊か現れた。彼が本の中で使った「性的経済と排泄《はいせつ》的経済」という言葉はその年の流行語にまでなった。雑誌や新聞が、彼のことを新しい時代のインタレクチュアルの一人として取り上げ、特集した。綿谷ノボルの書いた経済学書の内容が彼らに理解されているとは、僕にはとても思えなかった。彼らが一度でもその本を開いたことがあるかどうかすら疑問だった。でも彼らにはそんなことはどうでもよかったのだ。彼らにとって綿谷ノボルは若くて独身であり、わけのわからない難解な本を書けるくらい頭脳明晰《めいせき》だった。

とにかくその本を出版したことによって、綿谷ノボルは世間に名を知られるようになった。彼は様々な雑誌に評論のようなものを書き、テレビに出演して経済や政治問題についてのコメンテーターの役をつとめるようにもなった。それからやがて、討論番組のレギュラー出演者にまでなった。綿谷ノボルのまわりの人間は（僕もクミコも含めてということだが）彼がそんな派手な仕事に向くとはまったく考えていなかった。彼はどちらかと言えば神経質で、専門的なことにしか興味のない学者タイプの人間だと考えられていたのだ。しかしいったんマスコミの世界に入り込むと、彼は自分に与えられた役割を舌を巻くくらい見事にこなしていった。カメラを向けられても、少しもひるんだりはしなかった。現実の世界に対しているときよりは、カメラに向かっているときの方がむしろリラックスしているようにさえ思えるほどだった。僕らはみんな唖然《あぜん》として、彼のそのような急速な変貌《へんぼう》ぶりを眺《なが》めていた。テレビに出るときの綿谷ノボルは見るからに金のかかった仕立てのいいスーツに身を包み、それにぴたりと似合ったネクタイをしめ、上品な鼈甲縁《べっこうぶち》の眼鏡をかけていた。ヘア・スタイルも現代風に変えられていた。おそらく専門のスタイリストがついていたのだろうと思う。彼が立派な服を着ているのを見かけたことなんて、それまで一度もなかったから。でもたとえそれがテレビ局か何かのお仕着せであったとしても、そのようななりは実にしっくりと彼に馴染《なじ》んでいた。そんなものはずっと昔から着こなしていたとでもいわんばかりに。いったいこの男は何なんだろうとそのときに僕は思った。この男の実体というのはいったいどこにあるのかと。

カメラの前では彼はむしろ寡黙《かもく》に振る舞った。意見を求められたときには、簡単な言葉とわかりやすいロジックを使って、的確な意見を述べた。人々が大声で論争しているような時にも、いつもクールに構えていた。挑発《ちょうはつ》には乗らず、相手に喋《しゃべ》りたいだけ喋らせておいて、最後に相手の言い分を一言で引っ繰り返した。にこやかな顔で、穏やかな声で、相手の背中に致命的なひと突きを与えるこつを彼は会得《えとく》していた。そしてテレビの画面に映し出されると、どうしてそうなるのかはわからないのだが、実物よりずっと知的で、ずっと信頼できそうに見えた。とくにハンサムというわけではなかったが、背は高くほっそりとして、いかにも育ちが良さそうだった。ひとことで言えば、綿谷ノボルはテレビというメディアの中に自分にぴったりと合った居場所をみつけたのだ。マス・メディアは喜んで彼を受け入れ、彼も喜んでマス・メディアを受け入れた。

でも僕は彼の文章を読むのも、彼の姿をテレビで見るのも嫌だった。彼にはたしかに才気があり、才能があった。それは僕も認める。彼は短い言葉で、短い時間のあいだに相手を有効に叩きのめすことができた。風向きを瞬時にして見定める動物的な勘も持っていた。しかし注意して彼の意見を聞き、書いたものを読むと、そこには一貫性というものが欠けていることがよくわかった。彼は深い信念に裏づけされた世界観というものを持たなかった。それは一面的な思考システムを複合的に組み合わせて作り上げられた世界だった。彼はその組み合わせを必要に応じていかようにも瞬時に組み換えることができた。それは巧妙な思想的順列組み合わせだった。芸術的といってもいいくらいだった。でも僕にいわせればそんなものはただのゲームだった。もし彼の意見に一貫性のようなものがあるとすれば、それは「彼の意見には常に一貫性がない」という一貫性だけだったし、もし彼に世界観というものがあるとすれば、それは「自分には世界観の持ち合わせがない」という世界観だった。しかしそれらの欠落は、逆に言えば彼の知的な資産でさえあった。一貫性や確固とした世界観といったようなものは、時間を細かく区切られたマス・メディアでの知的機動戦には不必要なものであり、そのような重荷を背負わずにすんだことは、彼にとっての大きなメリットになった。

　彼には何も守るべきものがなかった。だから純粋な戦闘行為に全神経を集中することができた。彼はただ攻めればよかったのだ。ただ相手を叩きのめせばよかったのだ。綿谷ノボルはそういう意味では知的なカメレオンだった。相手の色によって、自分の色を変え、その場その場で有効なロジックを作りだし、そのためにありとあらゆるレトリックを動員した。レトリックの多くは基本的にはどこかからの借り物であり、ある場合にはあきらかに無内容だった。しかし彼はいつもまるで手品師のように素早く手際《てぎわ》よくそれをさっと空中から取り出してきたので、その空虚さをその場で指摘することはほとんど不可能に近かった。それにもし仮に人々がその彼のロジックのインチキさにたまたま気づいたとしても、それは他の多くの人々が述べる正論に比べれば（それらはたしかに正直ではあるかもしれないが、論旨の展開に手間がかかったし、多くの場合視聴者に凡庸な印象しか与えなかった）はるかに新鮮だったし、ずっと強く人々の注意を引いた。いったいどこでそんな技術を身につけたのか僕には見当もつかないのだが、彼は大衆の感情を直接的にアジテートするこつを身につけていた。大多数の人間がどのようなロジックで動くものかを実によく心得ていた。それは正確にはロジックである必要はなかった。それはロジックに見えればそれでいいのだ。大事なことは、それが大衆の感情を喚起するかどうかなのだ。

ある場合には、彼は難解な学術用語のようなものをずらずらと並べたてることもできた。もちろんそれが正確に何を意味するかなんて、ほとんど誰にもわかりはしない。しかし彼はそのような場合にも「もしこれがわからないのなら、それはわからない方が悪いのだ」という空気を作りだすことができた。あるいはよく次から次へと数字を持ち出した。それらの数字は彼の頭の中に全部刻み込まれていた。そしてその数字は非常に説得力を持っていた。しかしあとになってよく考えてみると、その数字の出所が公正なものであるか、あるいは根拠が信頼できるものであるか、といったようなことに対しては、議論らしい議論は一度も行われなかった。数字なんて、引用ひとつでどのようにも転んでしまうものなのだ。そんなことは誰でも知っている。しかし彼の戦略はあまりにも巧妙だったので、多くの人々はそのような危険性を簡単には見破ることができなかった。

そのような巧妙な戦略性は僕をたまらなく不快にしたのだが、その不快さを他人に向かって正確に説明することができなかった。僕はそれを論証することができなかった。それはちょうど実体のない幽霊を相手にボクシングをしているようなものだった。どれだけパンチを繰り出しても、それは空を打つだけだった。何故《なぜ》ならそこには、そもそも手応《てごた》えのある中身というものがないからだ。僕はかなり知的に洗練された人たちまでが、彼のアジテーションに動かされるのを見て驚いたものだった。そしてそれは僕を不思議なくらい苛立《いらだ》たせた。

そのようにして綿谷ノボルはもっとも知的な人間の一人であると見なされるようになった。世間にとって一貫性というようなものはもはやどうでもいいことであるようだった。彼らが求めているのは、テレビの画面の上で繰り広げられる知的闘剣士の試合であり、人々が見たがっているものはそこで派手に流される赤い血だった。月曜日と木曜日で同じ人間がまったく逆の意見を口にしたとしても、そんなことはどうでもいいのだろう。

僕が綿谷ノボルに初めて会ったのは、僕とクミコが結婚することを決めたときだった。僕は彼女の父親に会う前にまず綿谷ノボルに会うことにした。父親よりは息子の方が当然年齢も近いし、前もって話をしておけば、何か便宜をはかってもらえるのではないかというつもりもあったからだ。

「でも、あまりあてにしない方がいいと思う」とクミコはなんとなく言いにくそうに言った。「うまく説明できないんだけれど、あの人はそういうタイプじゃないのよ」

「でもどうせいつかは会わなくてはならないだろう」と僕は言った。

「まあね。それはたしかにそうだけれど」とクミコは言った。

「じゃあ話してみてもいいだろう。何事も試してみなくちゃわからないよ」

「そうね。たしかにそうかもしれない」

電話をかけると、綿谷ノボルは僕と会うことに対してあまり気乗りがしない様子だった。しかしもしどうしても会いたいということであれば、三十分くらいなら時間は取れると彼は言った。そして僕らは御茶ノ水の駅の近くの喫茶店で待ち合わせた。彼はその当時はまだ本も書いていない一介の大学の助手だったし、恰好《かっこう》の方もあまりぱっとしたものではなかった。ジャケットのポケットはおそらく長く手を突っ込まれすぎたせいで膨らんだままになっていたし、髪は二週間ぶんは長くなりすぎていた。芥《から》子《し》色《いろ》のポロシャツとブルーグレイのツイードのジャケットは色がまったく合っていなかった。どこの大学にもいるあまり金とは縁のない若い助手という風貌だった。彼は朝からずっと図書館で調べものをしていて、今ちょっと抜け出してきたというような眠たげな目をしていたが、よく見るとその奥には鋭く冷たい光が見て取れた。

僕は自己紹介をしたあと、自分は近いうちにクミコと結婚するつもりでいるのだと言った。僕はできるだけ正直に彼に説明した。今は法律事務所で働いているが、それは正確には自分の望んでいる仕事ではない。まだ自分自身を模索している段階なのだ、と僕は言った。そういう人間が彼女と結婚するのは、あるいは無謀に近い行為かもしれない。しかし僕は彼女を愛しているし、彼女を幸せにできると思う。我々はお互いを癒《いや》しあい、お互いに力を与えあうことができると思う、と。

しかし僕の言ったことは、綿谷ノボルにはほとんど理解できなかったようだった。彼は腕を組みながら、何も言わずに僕の話を聞いていた。話し終えても、彼はしばらく身動きもしなかった。何か他のことをじっと考えているように見えた。

最初のうち、彼の前にいることがひどく居心地わるく感じられた。それはたぶん自分の置かれた立場のせいだろうと思った。初対面の相手に向かって、実はあなたの妹さんと結婚したいのですが、と切りだすのはたしかに居心地のいいものではない。しかし彼と向かい合っているうちに、居心地のわるさというようなものを越えて、僕はだんだん不快な気持ちになってきた。まるですえた臭《にお》いを放つ異物が少しずつ腹の底にたまっていくような気分だった。彼の言動の何かが僕を刺激したわけではない。僕が嫌《いや》だったのは綿谷ノボルという人間の顔そのものだった。僕がそのときに直観的に感じたのは、この男の顔は何か別のものに覆《おお》われているということだった。そこには何か間違ったものがある。これは本当の彼の顔ではない。僕はそう感じたのだ。

できることならそのまま席を立ってさっさと帰ってしまいたかった。でも話し始めた以上、そんな風に中途半端に切りあげることはできない。それで僕は冷めたコーヒーを飲みながら、そこに踏みとどまり、彼が話し始めるのを待っていた。

「正直に言って」と彼はまるでエネルギーを節約しているような小さな静かな声で話し始めた。「君が今言ったことは私にはよく理解できないし、またあまり興味も持てないように思う。私に興味があるのはもっと違った種類のことなのだけれど、それは君にはたぶん理解もできないし、興味も持てないと思う。結論を要約して言えば、君がクミコと結婚したいと思い、クミコが君と結婚したいと思っているのなら、それに対して私には反対する権利もないし、反対する理由もない。だから反対しない。考える迄《まで》もない。しかしそれ以上のことを私には何も期待しないでほしい。それから、私にとってはこれがいちばん重要なことなのだが、私の個人的な時間をこれ以上奪わないでほしい」

そして彼は腕時計を見て、立ち上がった。もう少し違う喋り方をしたような気もするのだが、僕には正確な言葉づかいまでは思いだせない。しかし間違いなく、これが彼のそのときの発言の骨子である。とにかくそれは非常に簡潔にして要を得た発言だった。余計な部分もなければ、足りない部分もなかった。彼の言わんとすることは非常に明確に理解できたし、彼が僕という人間についてどのような印象を持ったかもおおむね理解できた。

そのようにして我々は別れた。

クミコと結婚して義理の兄弟という関係になったせいで、僕と綿谷ノボルはその後何度か言葉を交わす機会を持った。しかしそれは会話とも呼べないような代物《しろもの》だった。僕らのあいだには、たしかに彼が言うように、共通した基盤というものがなかった。だからどれだけ話しあったところで、それが会話になるわけはなかったのだ。我々はまったく別の言語を話しているようなものだった。死の床にあるダライ・ラマに向かって、エリック・ドルフィーがバス・クラリネットの音色の変化によって、自動車のエンジン・オイルの選択の重要性を説いている方が、あるいは我々の会話よりはいくぶん有益で効果的だったかもしれない。

誰かと係わることによって長いあいだ感情的に乱されるということは、僕にはほとんどない。不愉快な思いをして、それで誰かに対して腹を立てたり苛立ったりというようなことはもちろんある。しかし長くは続かない。僕には、僕自身の存在と他人の存在とを、まったく別の領域に属するものとして区別しておける能力がある（これは能力と言ってさしつかえないと思う。何故ならそれは、自慢するわけではないが、決して簡単な作業ではないからだ）。つまり僕は、何かで不愉快になったり苛立ったりしたときには、その対象をひとまず僕個人とは関係のないどこか別の区域に移動させてしまう。そしてこう思う。よろしい、僕は今不愉快になったり苛立ったりしている。でもその原因は、もうここにはない領域に入れてしまった。だからそれについてはあとでゆっくりと検証し、処理することにしようじゃないか、と。そうして一時的に自分の感情を凍結してしまうわけだ。あとになって、その凍結を解いてゆっくりと検証を行ってみて、まだたしかに感情がかき乱されるということもある。しかしそのようなことはむしろ例外に近い。しかるべき時間の経過によって、大抵のものごとは毒気を抜かれて無害なものになりはてている。そして僕は遅かれ早かれそのことを忘れてしまう。

これまでの人生の過程において、そのような感情処理システムを適用することによって、僕は数多くの無用なトラブルを回避し、僕自身の世界を比較的安定した状態に保っておくことを可能にしてきた。そして自分がそのような有効なシステムを保持していることを、少なからず誇りに思ってきた。

しかし綿谷ノボルに対しては、そのシステムはまったくといっていいほど機能しなかった。僕は綿谷ノボルという人物を簡単に「自分とは関係のない領域」に押しやってしまうことができなかった。むしろ逆に綿谷ノボルの方が僕のことをさっさと「自分とは関係のない領域」に押しやってしまったのだ。そしてその事実は僕を苛立たせた。クミコの父親はたしかに傲慢《ごうまん》で不快な人物だった。しかし彼は結局のところ単純な信念に固執して生きている視野の狭い小人物だった。だから僕は彼のことをきれいに忘れてしまうことができた。しかし綿谷ノボルはそうではなかった。彼は自分がどういう人間であるかをはっきりと自覚していた。そして僕という人間の内容をもおそらくかなり正確に把握《はあく》していた。もし彼がその気になれば、僕を完膚なきまでに叩《たた》きのめすことだってできた。彼がそれをやらないのは、ただ単に彼が僕に対して関心というものをまったく持っていないからだった。彼にとって僕という人間は、あえて時間とエネルギーを費やしてまで叩きのめすのに値しない相手だったのだ。僕が綿谷ノボルに対して苛立ったのはたぶんそのせいだと思う。彼は本質的には下劣な人間であり、無内容なエゴイストだった。でも僕よりは明らかに有能な人間だった。

彼に会ったあとしばらくのあいだ、僕はかなり後味のわるい感情を抱いたまま生きていた。まるで口の中に嫌な臭《にお》いのする虫をひとかたまり押し込まれたみたいな気がした。虫は吐きだしたのだけれど、その感触はまだ口の中に残っている。僕は何日ものあいだずっと綿谷ノボルのことを考えていた。何か別のことを考えようとしても、綿谷ノボルのことしか考えられなかった。コンサートに出かけ、映画を見た。仕事場の同僚と一緒に野球の試合まで見に行った。酒を飲んで、いつか暇ができたら読もうと楽しみに取っておいた本を読んだ。しかし彼はいつも僕の視野の中にいて、腕を組み、どろんとした沼のような不吉な目で僕を見ていた。それは僕を苛立たせ、僕の立っている基盤のようなものを激しく揺さぶった。

次に会ったとき、クミコは僕に兄のことをどんな風に感じたかと尋ねた。でも僕は自分がそこで感じたことを正直に口にできなかった。彼が被《かぶ》っているにちがいない仮面のことや、その奥に潜んでいるはずの不自然にねじくれた何かについて、クミコに問いただしてみたかった。不快感や気持ちの乱れについて正直に打ちあけてしまいたかった。でも結局何も言わなかった。どれだけきちんと説明しても、うまく伝えられないだろうと思ったからだ。そしてもしうまく説明できないとしたら、それは彼女に対して今口にするべきではないだろう。

「たしかに少し変わった人だ」と僕は言った。そしてそれに加えて何か適当なことを言おうとしたが、言葉が浮かんでこなかった。クミコもそれ以上は何も訊《き》こうとはしなかった。ただ黙ってうなずいただけだった。

綿谷ノボルに対する僕の気持ちは、それから今までほとんど変化していない。そのときと同じ苛立たしさを彼に対して今も感じつづけている。それは微熱のようにいつも僕の中にある。僕は家にテレビを置いていない。しかし不思議なことに、僕がどこかの場所でふとテレビの画面に目をやるたびに、いつもそこには綿谷ノボルが映って何かを発言していた。どこかの待合室で雑誌を手に取ってページをめくるたびに、そこには綿谷ノボルの写真があり、綿谷ノボルの文章が載っていた。まるで綿谷ノボルが世界じゅうの曲がり角で僕を待ち伏せしているようにさえ思えた。

オーケー、正直に認めよう、おそらく僕は綿谷ノボルを憎んでいるのだ。

7 幸福なクリーニング店、そして加納クレタの登場

僕はクミコのブラウスとスカートを持って駅前のクリーニング屋に行った。僕はいつもは家の近くにあるクリーニング屋に洗濯《せんたく》ものを出している。とくにそこが気に入っているわけではなくて、ただ単に距離的に近いからである。駅前のクリーニング屋は、妻が出勤の途中にときおり利用する。会社に出勤する途中に出して、帰宅するときにピックアップしてくるわけだ。こちらの方が値段は少し高いけれど、仕上がりは近所の店よりは丁寧だと彼女は言う。そして彼女は自分の大切な服は、少し面倒でも駅前の店に出すようにしている。だから僕はその日はわざわざ自転車に乗って駅前まで出かけることにした。彼女はたぶん自分の服がそちらの店に出されることを好むだろうと思ったからだ。

僕はグリーンの薄手の綿のズボンに、いつものテニスシューズを履き、クミコがど

こかでもらってきたレコード会社の宣伝用のヴァン・ヘイレンの黄色いTシャツを着て、ブラウスとスカートを抱えて家を出た。クリーニング屋の主人はやはり前と同じように大きな音でJVCのラジオ・カセットを聞いていた。今朝はアンディ・ウィリアムスのテープだった。僕がドアを開けたときにはちょうど『ハワイアン・ウェディング・ソング』が終わって、『カナディアン・サンセット』が始まったところだった。主人はボールペンでノートになにかをせっせと書きこみながら、そのメロディーにあわせて幸せそうに口笛を吹いていた。棚《たな》の上に積まれたカセット・テープ・コレクションの中には〈セルジオ・メンデス〉とか〈ベルト・ケンプフェルト〉とか〈101ストリングス〉といった名前が見えた。彼はおそらくイージーリスニング・ミュージックのマニアなのだ。アルバート・アイラーやドン・チェリーやセシル・テイラーの熱烈な信奉者が駅前の商店街のクリーニング屋の主人になるということは果してあるのだろうか、と僕はふと思った。あるかもしれない。しかし彼らはあまり幸せなクリーニング屋にはなれないだろう。

僕が緑の花柄《はながら》のブラウスとセージ色のフレア・スカートをカウンターの上に置くと、彼はそれを広げてざっと調べてから、伝票にブラウスとスカートと丁寧な字で書きこんだ。丁寧な字を書くクリーニング屋が僕は好きだ。その上にアンディ・ウィリアムスを愛好するならもう言うことはない。

「オカダさんだったよね」と彼は言った。そうだと僕は言った。彼は僕の名前を書きこみ、カーボンの写しを破って僕にくれた。「来週の火曜日に出来るから、今度は忘れないで取りにきてくださいね」と彼は言った。「奥さんの服？」

「そう」と僕は言った。

「綺麗《きれい》な色だね」と彼は言った。

空はどんよりと曇っていた。天気予報は雨の到来を予告していた。時刻は九時半を過ぎていたが、書類かばんと畳んだ雨傘《あまがさ》を持った出勤の人々は、まだ駅の階段に向かって足早に歩いていた。おそらく遅めの出勤のサラリーマンなのだろう。蒸し暑い朝だったが、彼らはそんなことには無関係に、きちんと背広を着て、きちんとネクタイをしめ、きちんと黒い靴《くつ》をはいていた。僕と同じ年頃《としごろ》のサラリーマン風の男も沢山見かけたが、誰もヴァン・ヘイレンのTシャツなんか着ていなかった。彼らは背広のラペルに会社のバッジをつけ、日本経済新聞を脇《わき》に抱えていた。プラットフォームのベルが鳴って、何人かの人々が階段を走り上がっていった。そういった人々の姿を見るのはずいぶん久しぶりだった。考えてみれば僕はこの一週間のあいだ、家とスーパーマーケットと図書館と近所の区営プールとのあいだを行き来していただけなのだ。僕がこの一週間見ていたのは、主婦と老人と子供たちと何人かの商店主だけだった。僕はそこに立ってしばらくのあいだ、背広を着てネクタイをしめた人々の姿をぼんやりと眺《なが》めていた。

せっかくここまで来たのだから駅前の喫茶店に入ってモーニング・サービスのコーヒーでも飲もうかと思ったが、面倒臭くなってやめた。考えてみれば、とくにコーヒーが飲みたいというわけでもない。僕は花屋のウインドウに映った自分の恰好《かっこう》を眺めた。Ｔシャツの裾《すそ》には知らない間にトマト・ソースのしみがついていた。

自転車に乗って家に帰る途中、僕は知らず知らずのうちに『カナディアン・サンセット』を口笛で吹いていた。

十一時に加納マルタから電話がかかってきた。

「もしもし」と僕は受話器を取って言った。

「もしもし」と加納マルタが言った。「そちらは岡田亨様のお宅でしょうか？」

「そうです。岡田亨です」電話の相手が加納マルタであることは最初の声でわかった。

「私は加納マルタと申します。先日は失礼いたしました。ところで本日の午後は何かご予定がおありでしょうか？」

ない、と僕は言った。渡り鳥が抵当用資産を持たないのと同じように、僕も予定というものを持たない。

「それでは本日の一時に妹の加納クレタがお宅にお邪魔いたします」

「加納クレタ？」と僕は乾いた声で言った。

「妹です。先日写真をお見せしたと思うのですが」と加納マルタは言った。

「ええ、妹さんのことでしたら覚えています。でも――」

「加納クレタというのが妹の名前なのです。妹が、私の代理としてお宅に伺います。一時でよろしいでしょうか？」

「それはかまいませんが」

「それでは失礼いたします」と加納マルタは言って電話を切った。

加納クレタ？

僕は掃除機を出してきて床を掃除し、家の中を片づけた。新聞をまとめて、紐《ひも》でしばって押入れに放《ほう》り込み、ちらばったカセット・テープをケースに入れて整理し、台所で洗い物をした。それからシャワーを浴び、頭を洗い、新しい服に着替えた。コーヒーを新しく作り、ハムのサンドイッチとゆで卵を食べた。そしてソファーに座って『暮しの手帖《てちょう》』を読み、夕食に何を作ろうかと考えた。僕は「ひじきと豆腐のサラダ」

というページにしるしをつけ、必要な材料を買い物メモに書き込んだ。ＦＭ放送をつけるとマイケル・ジャクソンが『ビリー・ジーン』を歌っていた。そして僕は加納マルタのことを考え、加納クレタのことを考えた。まったく姉妹そろってなんていう名前をつけるんだろう。これじゃまるで漫才のコンビじゃないか。加納マルタ・加納クレタ。

僕の人生は間違いなく奇妙な方向に向かっている。猫《ねこ》が逃げた。変な女からわけのわからない電話がかかってきた。不思議な女の子と知り合って、路地の空き家に出入りするようになった。綿谷ノボルが加納クレタを犯した。加納マルタがネクタイの出現を予言した。妻は僕にもう仕事をしなくてもいいと言った。

僕はラジオを消し、『暮しの手帖』を本棚に戻し、もう一杯コーヒーを飲んだ。

一時ちょうどに加納クレタが家のベルを押した。彼女は本当に写真のとおりだった。小柄で、おそらく二十代前半で、おとなしそうに見えた。そして見事に一九六〇年代初期的な外見を保持していた。『アメリカン・グラフィティ』を日本を舞台にして作ったとしたら、加納クレタはたぶんそのままの恰好でエキストラになれただろう。彼女は写真で見たときと同じように、髪をふわっと膨らませ、先の方をカールさせていた。髪の生え際《ぎわ》はぎゅっと後ろにひっぱられて、きらきらとした大きな髪どめでまとめられていた。黒い眉《まゆ》はペンシルでくっきりときれいに引かれ、マスカラが目元にミステリアスな影を作りだし、口紅は当時はやっていた色合いを見事に再現していた。マイクを持たせたら、そのまま『ジョニー・エンジェル』を歌いだしそうだった。

もっとも彼女の着ている服はそのメイキャップよりはずっと簡素で、非特徴的だった。事務的と言ってもいいくらいだった。シンプルな白いブラウスを着て、シンプルな緑のタイト・スカートをはいていた。アクセサリーとよべそうなものは、まったくなかった。そして白いエナメルのバッグを小わきに抱え、先の尖《とが》った白いパンプスを履いていた。靴のサイズは小さく、ヒールは鉛筆の芯《しん》のように細く尖っていて、まるで玩具《おもちゃ》の靴のように見えた。そんなものを履いてよくここまで歩いてこられたものだと僕はすごく感心した。

僕はとにかく加納クレタを家に上げ、居間のソファーに座らせて、コーヒーを温めて出した。そしてもう昼食は済んだかどうか、彼女に尋ねてみた。なんとなく彼女は腹を減らせているように見えたからだ。まだ昼食は食べていないと彼女は言った。

「でもおかまいなく」と彼女は慌《あわ》ててつけ加えた。「どうか気にしないでください。

お昼はいつもちょっとしか食べないんです」

「本当に？」と僕は言った。「サンドイッチを作るくらい何でもないから、遠慮しないでいいんですよ。僕はそういうちょっとしたものを作るのには慣れてるから、ぜんぜん手間じゃないし」

彼女は小さく何度も首を振った。「ご親切にありがとうございます。でも本当に結構です。お気遣いなく。コーヒーだけで十分です」

でも僕はためしにチョコレート・クッキーを皿に盛って出してみた。加納クレタはそれをおいしそうに四個食べた。僕もクッキーを二個食べ、コーヒーを飲んだ。

クッキーを食べ、コーヒーを飲んでしまうと、彼女は少し落ちついたようだった。

「本日は姉の加納マルタの代理でまいりました」と彼女は言った。「私は加納クレタと申します。加納マルタの妹にあたります。もちろんこれは本名ではありません。本名は加納節子と申します。しかし姉の仕事を手伝うようになってから、このような名前を使うようになりました。何といいますか、職業上の名前です。別に私はクレタ島に関係があるわけではありません。クレタ島に行ったこともありません。姉がマルタという名前を使っておりますので、それに関係した名前を適当に選んだだけです。マルタがこのクレタという名前を選んでつけてくれたのです。ひょっとして岡田様はクレタ島に行かれたことはありますか？」

残念ながらない、と僕は言った。クレタ島には行ったことがないし、近い将来に行く予定もない。

「クレタ島にはいつか行きたいと私は思っています」と彼女は言った。そしていかにも真面目《まじめ》そうな顔でうなずいた。「クレタはアフリカにいちばん近いギリシャの島です。大きな島で、古代文明が栄えました。姉のマルタはクレタ島にも行ったことがあるのですが、素晴らしいところだと言ってます。風が強く、蜂蜜《はちみつ》がとてもおいしいそうです。私は蜂蜜が大好きです」

僕はうなずいた。僕は蜂蜜がそれほど好きではない。

「本日はひとつお願いがあってここに参りました」と加納クレタは言った。「実はお宅の水を採取させていただきたいのです」

「水？」と僕は言った。「水道の水のことですか？」

「水道の水で結構です。それからもしこの近辺に井戸がありましたら、その水もいただきたいのですが」

「たぶんこの近辺に井戸はないと思いますね。ひとつあることはあるけど、それはよその家の敷地にあるし、もう涸《か》れて水が出ないものなんです」

加納クレタは複雑な目つきで僕を見た。「その井戸は本当に水が出ないのですか？それはたしかですか？」

空き家の井戸にあの娘が石を放り込んだときの、ぽとっという乾いた音を僕は思いだした。「たしかに涸れています。間違いありません」

「結構です。それではお宅の水道の水を採取させてください」

僕は彼女を台所に案内した。彼女は白いエナメルのバッグから小さな薬瓶《くすりびん》のようなものを二個取り出した。そしてそのひとつを水道の水で満たし、注意深く蓋《ふた》をした。それから彼女は浴室に行きたいと言った。僕は彼女を浴室に案内した。脱衣室には妻が下着とストッキングをいっぱいに干していたが、加納クレタはそんなものは気にもせず、水道の蛇口《じゃぐち》をひねってもうひとつの薬瓶に水を入れた。彼女はそれに蓋をしてから、さかさまにして、水が漏れないことを確認した。ふたつの薬瓶の蓋はそれぞれに色が違っていて、浴室の水と台所の水とを区別できるようになっていた。浴室の水を入れた方の瓶の蓋は青で、台所の水を入れた方の瓶の蓋は緑だった。

彼女は居間に戻ると、小さなプラスチックのフリージング・バッグにその二つの薬瓶を入れ、ジッパーのようになった蓋をしめた。そしてそれを大事そうに白いエナメルのバッグの中に仕舞い込んだ。ぱちんという乾いた音がして、バッグの口金が閉じられた。彼女がそれと同じ作業をこれまでに何度もやってきたことは、手つきを見ればわかった。

「どうもありがとうございました」と加納クレタは言った。

「それだけでいいんですか？」と僕は訊《き》いた。

「ええ、今のところはこれだけで結構です」と加納クレタは言った。そしてスカートの裾をなおし、バッグを脇に抱えてソファーから立ち上がる素振りを見せた。

「ちょっと待って」と僕は言った。そんな風に唐突に彼女が帰ってしまうとはぜんぜん予測してなかったので、僕は少し混乱した。「ちょっと待ってください。猫の行方について、あれからどうなったのか、女房が知りたがっているんです。いなくなってもうそろそろ二週間近くになりますし、何か少しでもわかったことがあったら、教えていただきたいんですが」

加納クレタはバッグを大事そうに脇に抱えたまましばらく僕の顔を見ていたが、それから何度か小さくうなずいた。彼女がうなずくと、カールした髪が六〇年代初期的にふわふわと揺れた。彼女がまばたきすると、その大きな黒いつけまつげが黒人奴隷《どれい》の手にした長い柄《え》のついた扇みたいにゆっくり上下した。

「正直に申し上げまして、これは見た目よりはもっと長い話になるのではないかと、姉は申しております」

「見た目よりはもっと長い話？」

〈もっと長い話〉という表現は、見渡すかぎり何もない平らな荒野に一本だけ立った高い杭《くい》のようなものを僕に想起させた。太陽が傾くとその影がどんどん長く伸びていって、その先端は肉眼ではもはや見えなくなってしまうのだ。

「そうです。猫の消えたというだけにはとどまらない話になるのではないかということです」

僕は少し戸惑った。「でも僕らが求めているのは、いなくなった猫の行方を捜し出すという、ただそれだけのことなんですよ。猫がみつかればそれでいいんです。もし死んでしまっているなら、そのことをきちんと知りたい。それがどうしてもっと長い話になるんだろう。僕にはよくわからないな」

「私にもよくわかりません」と彼女は言った。そして彼女は頭の上のぴかぴかと光る髪どめに手をやって、それをちょっと後ろにずらせた。「しかし姉を信頼してください。もちろんすべてのことが姉にわかるというわけではありません。しかしもし姉が『そこにはもっと長い話がある』と言うのなら、そこにはたしかに『もっと長い話がある』のです」

僕は黙ってうなずいた。それ以上何も言いようがなかった。

「岡田様は今、お忙しいですか？　これから何か予定はおありですか？」と加納クレタはあらたまった声で言った。

ぜんぜん忙しくはない、何も予定はない、と僕は言った。

「それでは私自身のことを少しお話ししてもよろしいでしょうか？」と加納クレタは言った。彼女は手に持っていた白いエナメルのバッグをソファーの上に置き、緑色のタイト・スカートの膝《ひざ》の上に手をかさねた。両手の指は綺麗《きれい》なピンク色にマニキュアされていた。指輪はひとつもつけていなかった。

どうぞ話してください、と僕は言った。そして僕の人生は——そんなことは加納クレタが玄関のベルを押したときから十分に予測されていたことなのだが——ますます奇妙な方向に流されていくことになった。

8 加納クレタの長い話、苦痛についての考察

「私は五月二十九日に生まれました」と加納クレタは話し始めた。「そして私は、二十歳になった誕生日の夕方に、自らの命を絶とうと心を決めました」

僕は新しいコーヒーを入れたコーヒーカップを彼女の前に置いた。彼女はそれにクリームを入れて、スプーンでゆっくりとかきまわした。砂糖は入れなかった。僕はいつものように砂糖もクリームも入れず、ブラックで一口飲んだ。置き時計がこつこつという乾いた音を立てて時の壁を叩《たた》いていた。

加納クレタは僕の顔をじっと覗《のぞ》き込むようにして言った。「もっと前から順番に話した方がよろしいでしょうか。つまり私の生まれた場所とか、家庭環境とか、そういうものから？」

「好きに話してください。自由に、あなたが話しやすいように」と僕は言った。

「私は三人兄妹の三番めとして生まれました」と加納クレタは言った。「姉のマルタの上にひとり兄がおります。父親は神奈川県で病院を経営しておりました。家庭的にも問題というほどのものはありませんでした。ごく普通の、どこにでもあるような家庭です。両親は勤労というものを尊ぶ、とても真面目な人たちでした。躾《しつ》けは厳格な方でしたが、他人に迷惑をかけないかぎりにおいて、細かいところでは私たちにある程度の自主性を持たせてくれたように思います。経済的には恵まれた環境でしたが、余計な贅沢《ぜいたく》はしない、子供たちには不必要なお金を与えないというのが両親の方針でした。生活はむしろ質素なくらいではなかったかと思います。

姉のマルタは私よりは五歳年が上でしたが、彼女には幼い頃《ころ》から少し変わったところがありました。いろんなことを言い当てるのです。ついさっき何号室の患者が亡《な》くなっただとか、行方のわからない財布はどこそこに落ちているとか、そういうことをぴたりぴたりと当てるのです。最初のうちみんなはそれを面白がったり、重宝に思っていたりしたのですが、そのうちにだんだん気味悪がるようになりました。そして両親は彼女に対して、そういう〈はっきりとした根拠のないこと〉をあまり人前で口にしてはいけないと言いました。父親には病院の院長としての立場もありましたし、娘にそのような超自然的な能力が備わっていることが他人の耳に入ることを嫌《きら》ったのです。それ以来マルタはぴたりと口を閉ざすようになりました。そういう〈はっきりとした根拠のないこと〉を口にしなくなっただけではなく、ごく普通の日常生活の会話にもほとんど加わらないようになってしまったのです。

　ただマルタは、妹の私にだけは心を開いて話をしてくれました。私たちは仲の良い姉妹として育ちました。他のひとたちには絶対に言ってはいけないよと言いきかせて、『近いうちに近所で火事があるよ』とか、『世田谷の叔母さんの具合が悪くなるよ』とか、そういうことをこっそりと教えてくれました。そしてそれらは実際そのとおりになったのです。私はまだ小さな子供でしたから、それが面白くてたまりませんでした。怖いとか気味が悪いなんて思いもよりませんでした。私は物心ついてからずっと、いつもマルタにくっついて歩いて、彼女の〈お告げ〉を聞いていました。

　マルタのそういう特殊な能力は、成長するにしたがってだんだん強いものになっていきました。しかし彼女は自分の中にあるそんな能力をどのように扱い、どのように伸ばしていけばいいのかがわかりませんでした。マルタはそのことでずっと悩みつづけました。彼女は誰に相談することもできませんでした。誰の指示を仰ぐこともできませんでした。その意味では、十代の彼女は非常に孤独な人でした。マルタは自分ひとりの力ですべてを解決しなくてはならなかったのです。彼女はその答えを全部自分でみつけなくてはならなかったのです。私たちの家庭の中では、マルタは決して幸せではありませんでした。そこでは心をひとときもやすめることができませんでした。そこでは自分の能力を抑え、人目から隠しておかなくてはならなかったからです。それはちょうど、力のある植物を小さな鉢《はち》の中で育てているようなものでした。それは不自然で、間違ったことだったのです。マルタにわかっているのは、自分がここを少しでも早く出ていかなくてはならないということだけでした。世界のどこかに、自分のための正しい世界があり、生き方があるはずだと彼女は考えるようになりました。しかし彼女は高校を卒業するまではじっと我慢をしなくてはなりませんでした。

マルタは高校を出ると、大学には進まず、新しい道を求めてひとりで外国に行こうと決心しました。しかし私の両親はとても常識的な人生を送ってきた人たちでしたから、そんなことを簡単に許すわけはありません。そこでマルタは手を尽くしてお金をかきあつめ、両親には黙って勝手に家を飛びだしてしまいました。彼女はまずハワイに行き、カウアイ島で二年暮らしました。カウアイ島の北海岸には素晴らしい水の出る地域があるという話をどこかで読んだことがあったからです。マルタはその頃から水というものに対して非常に深い関心を持っておりました。水の組成が人間の存在を大きく支配しているという信念を持っていたのです。それで彼女はカウアイで暮らすことにしたのです。カウアイの奥には当時まだ大きなヒッピー・コミューンが残っていました。彼女はそこでコミューンの一員として生活しました。そこの水はマルタの霊能力に大きな影響を与えました。彼女はその水を体内に入れることによって、彼女の肉体と彼女の能力とを『より融和させる』ことができました。それは本当に素晴らしいことだ、と彼女は私に書いてきました。私もそれを読んでとても嬉《うれ》しかったものです。しかし彼女はやがてその土地にも十分に満足できないようになりました。確かに美しく、平和な土地で、人々は物欲を離れて精神の平穏を求めていました。しかし人々はあまりにもドラッグや性的な放縦さに頼りすぎていました。それは加納マルタの必要としないものでした。そして二年後に彼女はカウアイ島を離れました。

それから彼女はカナダに渡り、アメリカの北部をあちこちと巡ってからヨーロッパ大陸に渡りました。彼女は各地の水を飲みながら旅行をしました。いくつかの素晴らしい水の出る場所を彼女はみつけました。でもそれらは完全な水ではありませんでした。そのようにしてマルタの旅は続きました。お金がなくなると、占いのようなことをやりました。探し物や尋ね人をみつけて謝礼をいただくのです。彼女は謝礼をいただくことを好みません。天に与えられた能力を物質と代えることは、決して良いことではありません。しかしその当時はそうしなくては生きていけなかったのです。マルタの占いはどこでも評判を呼んで、お金を集めるのにはたいして手間がかかりませんでした。イギリスでは警察の捜査に協力までしました。行方不明の小さな女の子の死体が隠された場所を捜し当て、近くに落ちていた犯人の手袋も見つけたのです。犯人は逮捕され、すぐに犯行を自供しました。それは新聞にも出ました。今度機会があれば岡田様にもその切り抜きをお見せします。そんな具合に彼女はヨーロッパのあちこちを放浪し、その末にマルタ島にたどり着きました。マルタに着いたのは、日本を出てから五年目のことでした。そしてそこが彼女の水の探索にとっての最終の土地となったのです。しかしそのお話はきっとマルタからお聞きになったんでしょうね？」

僕はうなずいた。

「マルタはその放浪生活のあいだ、いつも私に手紙を書き送ってくれました。何かの事情があって書けないときはもちろん別ですが、だいたい週に一度は私のために長い手紙を書いてくれました。自分が今どこにいて何をしているというようなことをです。私たちはとても仲のいい姉妹でした。私たちは遠く離れていても、ある程度手紙で心を通じ合わせることができました。それは本当に素敵な手紙でした。それを読んでもらえれば、加納マルタがどれほど素晴らしい人間かということが、岡田様にもわかっていただけるはずです。私は彼女の手紙を通していろんな世界の姿を知ることができました。いろんな興味深い人々の存在を知ることもできました。そのようにして姉の手紙は私を励ましてくれました。そして私の成長を助けてくれました。私はそのことで姉に深く感謝しております。それを否定するつもりはありません。でも、手紙というのは結局のところ手紙にすぎません。私が十代のいちばん難しい時期にあって、姉の存在をいちばん必要としていたときに、姉はいつもどこか遠くにいました。手を伸ばしても、そこには姉はおりませんでした。私は家族の中でひとりぼっちでした。私の人生は孤独でした。私は苦痛に満ちた――その苦痛についてはあとでまたくわしくお話しいたしますが――十代を送りました。私には相談する相手もいませんでした。そういう意味では私もやはりマルタと同じように孤独でした。もしそのときマルタが近くにいてくれたなら、私の人生は今あるものとは少し違ったものになっていたに違いないと思います。彼女は私に有効な助言を与え、私を救ってくれたと思うのです。しかし、それは今更言ってもしかたないことです。マルタがひとりで自分の道をみつけなくてはならなかったように、やはり私も自分ひとりで自分の道をみつけなくてはならなかったのです。二十歳になったとき、私は自殺することを決意しました」

加納クレタはコーヒーカップを手に取って、残っていたコーヒーを飲んだ。

「おいしいコーヒーですね」と彼女は言った。

「ありがとう」、僕は何気ない風を装って言った。「さっき作ったゆで卵があるんだけど、もしよかったら食べませんか？」

彼女は少し迷ってから、ひとついただければと言った。僕は台所からゆで卵と塩を持ってきた。そしてカップにコーヒーを注《つ》いだ。僕と加納クレタはゆっくりと卵の殻《から》を剝《む》いて食べ、コーヒーを飲んだ。そのあいだに電話のベルが鳴ったが、僕は受話器を取らなかった。十五回か十六回鳴ってから、ベルはぴたりと止《や》んだ。加納クレタは電話のベルが鳴っていることにも気づかないように見えた。

加納クレタは卵を食べおえると、白いエナメルのバッグから小さなハンカチを出して口許《くちもと》を拭《ぬぐ》った。そしてスカートの裾《すそ》をひっぱった。

「死のうと決心したあと、私は遺書を書くことにしました。私は机に向かって一時間ばかり、自分が死ぬ理由をそこに書こうとしたのです。私が死ぬのは誰のせいでもなくて、あくまで私自身の中にある理由によるものだということを、私は書いて残しておきたかったのです。自分が死んだあとで、誰かに見当違いな責任みたいなものを感じてほしくなかったからです。

でも私にはその遺書を書きおえることができませんでした。何度も何度も書きなおしてみたのですが、何度書きなおしても、読み返してみると、それらはみんなひどく馬鹿《ばか》げていて滑稽《こっけい》なものに見えました。真剣に書こうとすればするほど、それらはますます滑稽さを増していくようにさえ見えました。それで結局、何も書かないことにしました。

これは単純なことなのだ、と私は思いました。私はただ単に自分の人生に失望したのです。私は自分の人生が私に与えつづけるさまざまな種類の苦痛にこれ以上耐えることができなかったのです。私はそれまで二十年のあいだ、ずっとその苦痛に耐えてきました。私の人生とは、二十年にわたる絶え間のない苦痛の連続以外のなにものでもありませんでした。でも私はそれまでずっと、何とかその苦痛に耐えようと努力してきたのです。その努力については私は絶対的な自信を持っています。私は胸をはってここで断言できます。私は誰にも負けないくらい努力してきたのです。簡単に闘争を放棄したわけではないのです。でも二十歳の誕生日を迎えたときに私はついにこう思いました。人生には実際のところ、そんな努力を払うだけの価値はなかったのだと」

彼女はしばらく黙って、膝《ひざ》の上に置いた白いハンカチの角を揃《そろ》えていた。彼女が目を伏せると、黒いつけまつげが彼女の顔に静かな影を作った。

僕は咳払《せきばら》いした。何か言った方がいいのかとも思ったが、何を言えばいいのかわからなかったので黙っていた。遠くの方でねじまき鳥が鳴くのが聞こえた。

「私が死を決意した原因はまさにその苦痛でした。痛みでした」と加納クレタは言った。「とは申しましても、私が言う痛みは精神的な痛みや、比喩《ひゆ》的な痛みのことではありません。私の言う痛みとは純粋に肉体的な痛みのことです。単純で、日常的で、直接的で、物理的な、そしてそれ故《ゆえ》により切実な痛みのことです。具体的に申し上げれば、頭痛、歯痛、生理痛、腰痛、肩凝り、発熱、筋肉痛、火傷《やけど》、凍傷、捻挫《ねんざ》、骨折、打撲……そういった類《たぐ》いの痛みのことです。私は他人より遥《はる》かに頻繁《ひんぱん》に、そしてずっと強くそのような痛みを体験しつづけて参りました。たとえば私の歯には生まれつき欠陥があるようでした。私の歯は年中どこかが痛んでいました。どれだけ丁寧に、一日に何度も歯を磨《みが》いても、どれだけ甘いものを控えても駄目なのです。どれだけ努力しても虫歯になってしまうのです。おまけに私は麻酔があまりうまくきかない体質でした。ですから歯医者は私にとっては悪夢のようなものでした。それはどのような説明をも越えた苦痛でした。恐怖でした。それから生理痛もひどいものでした。私の生理は極端に重く、丸一週間というもの錐《きり》でもねじこまれるみたいに下腹が痛みました。頭痛にも襲われました。おそらく岡田様にはおわかりにならないと思いますが、これは本当に涙が出るくらい苦しいのです。一月のうちの一週間、私はそのような、まるで拷問《ごうもん》のような痛みに襲われていたのです。

飛行機に乗ると、気圧の変化でいつも頭が割れそうになりました。耳の構造のせいでしょうと医者は言いました。耳の内部が、気圧の変化に敏感なかたちをしていると、こういうことが起きるのだそうです。エレベーターに乗ってもそうなることがよくありました。だから私は高層ビルに行ってもエレベーターに乗れないのです。頭がところどころで裂けて、そこから血が吹き出すんじゃないかというくらいの痛みに襲われるのです。それから、朝に目が覚めると起き上がれないくらいきりきりと胃が痛むということが少なくとも週に一度くらいはありました。何度か病院で検査をしてもらったのですが、原因らしきものはみつかりませんでした。ひょっとして精神的なものじゃないかと言われました。しかし何が原因であろうが、痛いことにはかわりありません。でもそんなときにも私は学校を休むわけにはいきませんでした。痛みを感じるたびに学校を休んでいたら、ほとんど学校になんか行けなくなってしまうからです。

どこかにぶつかると、それは必ずあざになって体に残りました。自分の体を浴室の鏡に映してみるたびに、私は泣きたいような気持ちになりました。体のいたるところに、傷《いた》みかけた林檎《りんご》のように黒いあざが残っていたからです。ですから人前で水着姿になるのが嫌《いや》で、物心ついてからほとんど泳ぎにもいきませんでした。それから、足の大きさが左右で違うせいで、新しい靴《くつ》を買うたびにひどい靴ずれに悩まされることになりました。

そのようなわけで私はスポーツというものをほとんどやりませんでしたが、中学生のときに無理やり人に勧められてアイススケートをしたことがあります。そのときに転んで腰を強く打ったせいで、それ以来冬になるとその部分がずきずきと激しく痛むようになりました。太い針を思い切り打ち込まれたような痛みなのです。椅子《いす》から立ち上がろうとして、そのまま転げ落ちたことが何度もあります。

便秘もひどく、三日か四日に一度の排便は苦痛以外の何ものでもありませんでした。肩凝りもそれはひどいものでした。肩が凝りますと、その部分はそれこそもう石のように固くなりました。じっと立っていることができないくらいそれは苦しいのですが、横になればなったでやはり苦しいのです。昔何かの本で、狭い木の箱に何年も人を閉じ込めておく中国の刑罰の話を読んだことがありますが、その苦しさはおそらくこんな感じのものだっただろうと私は想像しました。肩凝りのひどい時には私は、ほとんど息をすることもできませんでした。

私はまだいくらでも私の感じた痛みをならべることができます。でもいつまでもこんな話を続けても、岡田様も退屈なさるでしょうから、適当にやめておきます。私がお伝えしたいのは、私の体はそれこそ痛みの見本帳のようなものだったということなのです。ありとあらゆる痛みが私の体の上に降りかかってきました。私は何かに呪《のろ》われているのだと思いました。誰が何と言おうと、人生というのは不公平で、不公正なものなのだと私は思いました。もし世界の人々が私と同じように痛みを背負って生きているのだとしたら、私にだってまだ我慢できたと思います。でもそうではありません。痛みというのは非常に不公平なものなのです。私はいろんな人たちに、痛みについて尋ねてみました。でも誰も真の痛みがどういうものかなんてわかってはいませんでした。世の中の大多数の人々は、日常的には痛みなんてほとんど感じることなく生きているのです。そのことを知って（それをはっきりと認識したのは中学校のはじめの頃《ころ》でしたが）、私は涙がでるほど悲しくなりました。どうしてこの私だけが、こんなひどい重荷を背負って生きていかなくてはならないのか、と私は思いました。できることならこのままあっさりと死んでしまいたいと思いました。

でもそれと同時に私はこうも思いました。いや、こんなことがいつまでも続くわけがない、ある朝目を覚ますと苦痛は何の説明もなく突然消えてなくなっていて、まったく新しいやすらかな無痛の人生がそこに開けているにちがいない。でも、私には確信というものが持てませんでした。

私は姉のマルタに思い切って打ち明けてみました。こんなに辛《つら》い人生を生きるのは嫌だ。いったい私はどうすればいいのだろうと。マルタはそれについてしばらく考えていました。そしてこう言いました。『お前については何かがたしかに間違っているように私にも思える。でもそれがどう間違っているのかは、私にもわからないよ。どうしたらいいのかもわからない。私にはまだそのような判断を下す力がない。私に言えるのは、とにかく二十歳になるまでは待ったほうがいいということだけだよ。二十歳になるまで我慢して、それからいろんなことを決めたほうがいいと思うね』、姉はそう言いました。

そんなわけで、私はとにかく二十歳まで生きてみることにしたのです。でもどれだけ歳月が経《た》っても、なにひとつ事態は好転しませんでした。それどころか、前にも増して痛みは激しくなっていきました。私にわかったことはただひとつだけでした。それは『体が成長すればするほど、苦痛の量もそれに相応して大きくなっていくのだ』ということでした。しかし八年間、私はそれに耐えました。そのあいだ、私は人生の良い面だけを見ようと心がけて生活をいたしました。私はもう誰に対しても愚痴をこぼしませんでした。どんなに苦しい時でも、いつもにこにことしているように努めました。痛みが激しくて立っていられないような時でも、何事もないように涼しい顔をしている訓練をしました。泣いても愚痴を言っても、それで痛みが軽減するわけではないのです。そんなことをすれば自分が余計に情けなくなるだけです。しかしそのような努力のおかげで、私は多くの人に好かれるようになりました。人々は私のことをおとなしくて感じの良い娘だと思いました。年上の人には信頼されましたし、多くの同年代の友人を作ることもできました。もしそこに苦痛というものがなかったなら、それは文句のつけようのない人生であり青春であったかもしれません。でもそこにはいつも苦痛がありました。苦痛は私の影のようなものでした。私がそのことをちょっとでも忘れかけると、すぐに苦痛がやってきて、私のからだのどこかを痛打しました。

大学に入ると恋人もできて、大学一年生の夏に私は処女を失いました。でもそれは——当然予測できたことなのですが——苦痛以外の何物でもありませんでした。経験のある女友達は『しばらく我慢すれば馴《な》れるし、馴れたら痛くなくなるから大丈夫よ』と言ってくれました。でも実際には、どれだけたっても苦痛は去りませんでした。その恋人と寝るたびに、私はあまりの痛みに涙を流しました。そして私はもうセックスをすることにうんざりしてしまいました。ある日私は恋人にこう言いました。『貴《あな》方《た》のことは好きだけれど、こんな痛いことはもう二度とやりたくないのよ』と。彼はびっくりして、そんな無茶苦茶な話があるものかと言いました。『君にはきっと何か精神的に問題があるんだよ』と彼は言いました。『もっとリラックスすればいいんだよ。そうすれば痛みもなくなるし、気持ちだってよくなる。みんなやっていることじゃないか。君にやれないわけがないだろう。君には努力が足りないんだよ。結局自分に甘えているのさ。君はいろんな問題を全部痛みに押しつけているんだ。愚痴ばかり言っていても仕方ないだろう』

　それを聞いてこれまで我慢していたものが、私の中で文字通り爆発してしまいました。『冗談じゃないわ』と私は言いました。『あなたに苦痛の何がわかるっていうのよ。私の感じている痛みは普通の痛みなんかじゃないのよ。痛みのことなら、私はもうありとあらゆる種類の痛みについて知っているのよ。私が痛いというときは本当に痛いのよ』、私はそう言いました。そしてこれまで自分が経験してきた痛みという痛みを洗いざらい並べあげて説明しました。でも彼にはほとんど何も理解できませんでした。本当の痛みというものは、それを経験したことのない人には絶対に理解できないのです。そのようにして私たちは別れました。

　そして私は二十歳の誕生日を迎えました。私は二十年じっと我慢してきたのです。どこかで何か大きな輝かしい転換があるのではないかと思って。しかしそんなものはありませんでした。私は本当にがっかりしてしまいました。私はもっと前に死んでおけばよかったのです。私は回り道をして苦痛を長びかせただけだったのです」

加納クレタはそこまで話してしまうと大きく息を吸い込んだ。彼女の前には卵の殻《から》がはいった皿と、からになったコーヒーカップが置かれていた。スカートの膝の上にはハンカチがきちんと折り畳まれたまま置かれていた。彼女はふと思いだしたように、棚《たな》の上の置き時計に目をやった。

「申し訳ありません」と加納クレタは小さな乾いた声で言った。「思っていたよりすっかり話が長くなってしまいました。これ以上岡田様のお時間を取ってしまってもご迷惑だろうと思います。長々とつまらない話をしてしまって、本当になんとお詫《わ》びすればいいか」

そう言って彼女は白いエナメルのバッグのストラップを摑《つか》むと、ソファーから立ち上がった。

「ちょっと待ってください」と僕は慌《あわ》てて言った。何はともあれ、こんな中途半端《はんぱ》なところで話を終えて欲しくはなかった。「もし僕の時間のことだけを気にしているんだとしたら、そんな必要はありません。今日の午後はどうせ暇なんです。そこまで話してしまったんだから、きちんと最後まで話していったらどうですか。話はもっと長く続くんでしょう？」

「もちろんもっと長く続きます」と加納クレタは立ち上がったまま、僕の顔を見下ろすようにして言った。両手でバッグのストラップをぎゅっと握っていた。「これまでのところはいわば前置きのようなものなんです」

僕はちょっとそこで待っていてくれと言って、台所に行った。流し台に向かって二度深呼吸をしてから、食器棚から二個のグラスを出し、氷を入れた。そして冷蔵庫のオレンジ・ジュースを注いだ。小さな盆の上にその二個のグラスを載せ、それを持って居間に戻った。それだけの動作をずいぶんゆっくりと時間をかけてやったのだが、僕が戻ってきたとき、加納クレタはまだじっと立ったままだった。でも僕が彼女の前にジュースのグラスを置くと、思いなおしたようにソファーに腰を下ろし、バッグを脇《わき》に置いた。

「本当によろしいのですか」と彼女は僕に確かめるように尋ねた。「すっかり最後まで話してしまって」

「もちろん」と僕は言った。

加納クレタはオレンジ・ジュースを半分飲んでしまってから話の続きを始めた。

「もちろん私は死ぬことに失敗しました。それはもう岡田様にもおわかりだと思います。私が死ぬことに成功していましたら、私はここにこうして座ってジュースを飲んだりはしていないわけですから」、そう言うと加納クレタはじっと僕の目を見た。僕は同意するようにちょっと微笑《ほほえ》んだ。「もし私が計画どおりに死んでいましたら、それは私にとっての最終的な解決になったはずでした。私は死んでしまって、意識というものを永久になくしてしまって、従ってもう二度と痛みというものを感じずにすむはずでした。それが私の望んだことでした。でも私は不幸なことに間違った方法を選んでしまったのです。

　私は五月二十九日の午後の九時に兄の部屋に行って、ちょっと車を貸してほしいと言いました。買ったばかりの新車でしたので、兄は嫌な顔をしましたが、私は気にしませんでした。兄はその車を買うにあたって私から借金もしてますし、断るわけにはいかなかったのです。私はキイを受け取って、そのぴかぴかのトヨタＭＲ２に乗り、三十分ばかり走らせてみました。車はまだ１８００キロしか走っていない新車でした。軽くて、アクセルを踏み込むとあっというまにスピードが出ました。私の目的には実にぴったりの車でした。多摩川の土手に近づいたところで、私はいかにも丈夫そうな大きな石の壁をみつけました。どこかのマンションの外壁でした。おまけにそれはうまいぐあいにＴ字路のつきあたりにありました。私は加速するのに十分な距離をとって、アクセルを思い切り床まで踏み込みました。そしてその壁に頭から突っ込みました。時速150キロは出ていたはずだと思います。車の先端が壁を打った瞬間に私は気を失いました。

しかし私にとっては不幸なことに、その壁は見かけよりもずっとやわに出来ていました。たぶん職人が手を抜いて、基礎をきちんと入れなかったのでしょう。壁は崩れおち、車の前部もきれいにぺしゃんこになりました。でもそれだけでした。壁が柔らかくて、衝撃をすっかり吸収してしまったのです。おまけに、それだけ私の頭が混乱していたということなのでしょうが、私はシートベルトを外すのを忘れていたのです。

そんなわけで私は一命を取り留めました。それどころかほとんど怪我《けが》もしませんでした。妙なことに痛みさえほとんどありませんでした。私はなんだか狐《きつね》につままれたような気分でした。私は病院に運ばれて、一本だけ折れた肋骨《ろっこつ》をうまく継いでもらいました。警察が病院に取り調べにやってきましたが、私は何も覚えていないと言いました。でもおそらくアクセルとブレーキを間違えて踏んだんだと思うと私は言いました。警察は私の言うことを全部信用しました。私はまだ二十歳になったばかりですし、運転免許をとってまだ半年しか経っていませんでした。それに私は一見して、自殺をしそうなタイプには見えませんでした。だいいちシートベルトを締めたまま自殺を図るような人間なんていません。

しかし退院したあとで私はいくつかの困難な現実問題に直面しました。まずだいいちに私はそのスクラップになったMR2のローンを払わなくてはなりませんでした。まずいことに、保険会社との手続きにちょっとした手違いがあって、車はまだ保険でカバーされていなかったのです。

こんなことになるのなら、きちんと保険をかけたレンタカーでも借りればよかったと思いました。でもその時には保険のことなんて考えなかったんです。まさか兄のその馬鹿《ばか》げた車に保険がかかっていなくて、おまけに自殺にしくじるなんて想像もしませんでしたし。何しろ150キロの速度で石の壁に突っ込んだんです。こうして生きている方が不思議なのです。

それからしばらくしてマンションの管理組合から壁の修理費の請求がきました。請求書には136万4294円と書いてありました。私はそれも払わなくてはなりませんでした。現金で即刻払わなくてはならないのです。しかたなく私は父からそのお金を借りて払いました。しかし父はお金のことにはとてもきちんとした人でしたから、私にローンでそのお金を返しなさいと言いました。だいたいそんな事故を起こしたのはお前の責任なのだから、このお金は一円残らずきちんと私に返さなくてはいけない、と父は言いました。そして実際、父もお金が余っていたわけではありませんでした。

病院はちょうどそのころ拡張工事をしていたものですから、父もお金の算段には頭を痛めていたのです。

私はもう一度死ぬことを考えてみました。今度こそきちっと死んでしまおうと私は思いました。大学の本部ビルの十五階から飛び下りるのです。それなら確実に死にます。まず間違いありません。私は何度も下調べをして、飛び下りることのできる窓もひとつ確保しておきました。私は本当にもう少しでそこから飛び下りるところでした。

でもその時、何かが私を押し止《とど》めました。何かが変なのです。何かが私の心にひっかかるのです。そしてその『何か』が最後の瞬間に私を、文字通りうしろからひっぱるみたいに、押し止めたのです。でもその『何か』がいったい何であるのかに気づくまでにずいぶん時間がかかりました。

痛みがないのです。

あの事故を起こして入院して以来、私は痛みというものをほとんど感じてこなかったのです。次々にいろんなことが起こって、どたばたしていたのでそのことに気づかなかったのですが、痛みというものが私のからだからすっかり消えてしまっていたのです。便通は自然であり、生理痛もなく、頭痛もなく、胃も痛みませんでした。折れた肋骨さえほとんど痛みを感じませんでした。どうしてそんなことが起こったのか、私には見当もつきませんでした。でもとにかく痛みという痛みが消えてしまったのです。

私はとりあえずもう少し生きてみようと思いました。私には興味があったのです。痛みのない人生というのがどういうものか、私は少しでもいいから味わってみたかったのです。死ぬことはいつでもできます。

しかし私にとって生き延びるということはとりもなおさず、借金を返済することを意味しました。借金は全部で三百万円を越えていました。そんなわけで、私はその借金を返すために娼婦《しょうふ》になりました」

「娼婦になった？」、僕はびっくりして言った。

「そうです」と何でもなさそうに加納クレタは言った。「お金が短期間に必要だったのです。借金をなるべく早く返してしまいたかったし、そうする以外に私が有効にお金を稼《かせ》ぐ手段はありませんでした。そこには躊躇《ちゅうちょ》というようなものはまったくありませんでした。私は真剣に死のうと思ったのです。そして遅かれ早かれ、死んでしまうことになるだろうと思っていました。その時だって、痛みのない人生に対する好奇心が、一時的に私を生かしているだけのことだったのです。死にくらべれば、肉体を売るなんて、そんな大したことではありません」

「なるほど」

加納クレタは氷が溶けてしまったオレンジ・ジュースをストローでかきまわしてから、少し飲んだ。

「ひとつ質問していいですか？」と僕は訊《き》いてみた。

「もちろんです。どうぞおっしゃってください」

「あなたはそのことについてお姉さんには相談しなかったのですか？」

「マルタはその頃《ころ》ずっとマルタ島で修行しておりました。姉は修行中は自分の住所を私には絶対に教えませんでした。修行の邪魔になるからです。集中が妨げられるからです。ですから、マルタにいるあいだの三年間、私は姉に手紙を書きおくることはほとんどできなかったのです」

「なるほど」と僕は言った。「もっとコーヒーをいかがですか？」

「ありがとうございます」と加納クレタは言った。

僕は台所に行ってコーヒーを温めた。僕はそのあいだ換気扇を眺《なが》めながら何度か深呼吸した。コーヒーが温まると僕はそれを新しいカップに注ぎ、チョコレート・クッキーを入れた皿と一緒に、盆に載せて居間に運んだ。僕らはしばらくコーヒーを飲み、クッキーを食べた。

「あなたが自殺しようとしたのはいつのことなんですか？」と僕は尋ねてみた。

「私が二十歳になったときですから、今から六年前、つまり、一九七八年の五月のことです」と加納クレタは言った。

一九七八年の五月は僕らが結婚した月だ。ちょうどそのときに加納クレタは自殺をはかり、加納マルタはマルタ島で修行をしていたのだ。

「私は盛り場に出て適当な男に声をかけ、値段の交渉をし、近くのホテルに行って寝ました」と加納クレタは言った。「セックスをすることに、私はもう一切の肉体的苦痛を感じないようになりました。もう以前のように痛くはないのです。そこには快感というものはまったくありませんでした。でも苦痛もありませんでした。それはただの肉体の動きにすぎませんでした。私はお金をもらってセックスをすることに何の罪悪感も感じませんでした。私は底も見えないほどの深い無感覚に包まれていました。

それはとてもいいお金になりました。私は最初の一ヵ月で百万近くのお金を貯《た》めることができました。そのままあと三、四ヵ月それを続ければ、楽に借金を返し終えることができるはずでした。私は大学から帰ると、夕方に町に出て、遅くとも十時までには仕事を終えて帰宅するようにしました。両親にはレストランでウェイトレスの仕事をしているのだと言っておきました。誰もそれを疑いませんでした。あまり沢山のお金を一度に返してしまうと変に思われそうなので、私は一月に十万円だけ返すことにしました。そしてそれ以外は銀行に預金しておきました。

でもある夜、いつものように駅の近くで男の人に声をかけようとしたときに、私は突然後ろから二人の男に腕を掴まれました。警察だと私は思いました。でもよく見ると彼らは地まわりのやくざでした。彼らは私を裏道にひっぱりこんで刃物のようなものを見せ、そのまま近くの事務所に連れていきました。それから彼らは私を奥の部屋に連れ込んで、裸にして縛りあげました。それから長い時間をかけて私を犯しました。そしてその一部始終をビデオ・カメラで撮影しました。私はそのあいだじっと目を閉じて、何も考えるまいとしました。それは難しいことではありませんでした。何故《なぜ》なら私には苦痛も快感もなかったからです。

そのあとで、彼らは私にそのビデオを見せました。そしてこのビデオを公開されたくなかったら、俺《おれ》たちの組織に入って働けと言われました。彼らは私の財布に入っていた学生証を取り上げ、もし嫌《いや》だと言ったらこのビデオのコピーを親のところに送りつけて、ありったけの金を搾《しぼ》り取ってやると言いました。私には選びようもありませんでした。何でもかまわない、言われたとおりにすると私は言いました。私はその頃にはもう本当になんだってよくなっていたのです。『たしかに俺たちの組織に入って働くようになれば、手取りの金は減るかもしれない』と彼らは言いました。『俺たちはあがりの七割を取るからな。しかしそのぶん、客を取る手間はなくなる。警察に捕まる心配もない。質のいい客もまわしてやる。お前みたいに見境なしに男に声をかけていたら、いつかホテルで絞め殺されちまうことになるぞ』と彼らは言いました。

私はもう街角に立つ必要はありませんでした。私は夕方になると彼らの事務所に顔を出して、言われるままに指定されたホテルに行けばよかったのです。たしかに彼らは私のところに上客をまわしてくれました。どういうわけかはわかりませんが、私は特別扱いにされていました。私は外見がいかにも素人《しろうと》っぽく見えましたし、他の女の子たちよりは育ちが良さそうに見えました。たぶん私のようなタイプを好む客も多かったのだと思います。他の女の子たちは普通一日に三人以上の客を取りましたが、私の場合は一日にひとりかあるいは二人でかまいませんでした。他の女の子たちはいつもポケット・ベルをハンドバッグに入れて、事務所から呼び出されると、急いでどこかのうらぶれたホテルに出かけていって、身元のわからない男と寝なくてはなりませんでした。でも私の場合はだいたいいつもきちんとした予約が取ってありました。場所は一流のホテルである場合がほとんどでした。どこかのマンションの一室に行くこともありました。相手はたいてい中年の男でしたが、たまには若い人もいました。

週に一度、私は事務所からお金を受け取りました。金額は以前ほどは多くはありませんが、お客が個人的にくれるチップを入れると、悪くない額になりました。奇妙な要求をする客ももちろんいましたが、私は何も気にしませんでした。その要求が奇妙なものであればあるほど、彼らは私にたくさんチップをくれました。何人かの人たちは、何度も私を指定するようになりました。そういう人たちはだいたい払いの良い人たちでした。私はそんなお金をいくつかの銀行にわけて預金しておきました。でもそのころにはもう、お金のことなんて実際にはどうでもよくなっていました。それはもう、ただの数字の羅列《られつ》にすぎませんでした。私はただ、自分の無感覚さを確認するためにに生きているようなものだったのです。

朝目を覚ますと、私はベッドに横になったまま、自分の体が痛みと呼べるほどの痛みを感じていないことを確認しました。目を開け、ゆっくりと意識をまとめ、それから頭から足のさきまで順番に、自分の肉体の感覚を確認していきました。どこにも痛みはありませんでした。本当に痛みが存在しないのか、それとも痛みそのものは存在しているのだけれど、自分がそれを感じないでいるのか、私には判断できませんでした。しかしいずれにせよ、痛みはありませんでした。痛みだけではなく、そこにはどのような種類の感覚もないのです。それから私はベッドを出て、洗面所に行って歯を磨《みが》きました。パジャマを脱いで裸になり、熱いシャワーを浴びました。体がひどく軽く感じられました。それはひどくふわふわとして、自分の体のようには感じられませんでした。まるで自分の魂が、自分のものではない肉体に寄生しているような、そんな気分でした。私は鏡に自分の体を映してみました。でもそこに映っているものはひどく遠くにあるように私には感じられました。

痛みのない生活――それは私が長いあいだ夢見てきたものでした。しかしそれが実際に実現してみると、私はその新しい無痛の生活の中にうまく自分の居場所をみつけることができませんでした。そこにははっきりとしたずれのようなものがありました。そのことは私を混乱させました。私は自分という人間がこの世界のどこにもつなぎ止められていないように感じました。これまで私は世界というものをずっと激しく憎んでいました。その不公平さと不公正さとを私は憎みつづけてきました。しかし少なくとも、そこにあっては、私は私であり、世界は世界でした。しかし今では世界は世界でさえありませんでした。私は私でさえありませんでした。

私はよく泣くようになりました。私は昼間にひとりで新宿御苑や代々木公園に行って、芝生に座って泣いていました。一時間も二時間もずっと泣いていることもありました。声を上げて泣くことだってありました。通りがかりの人々はじろじろと見ましたが、私は気にしませんでした。あの時に、五月二十九日の夜に、あっさりと死んでしまっていたらどんなに幸せだっただろうと私は思いました。でも今の私にはもう死ぬことさえできなくなっていました。私は無感覚の中で、自分の命を絶つ力さえ失ってしまっていたのです。そこには痛みもなければ、喜びもありませんでした。そこには何もありませんでした。そこにあるものはただの無感覚でした。そして私は私自身でさえありませんでした」

加納クレタは大きく息を吸い込んでから、コーヒーカップを手に取って、その中をしばらくのぞきこんでいた。そして少し首を振って、カップをソーサーの上に戻した。

「私が綿谷ノボル様にお会いしたのもそのころのことでした」

「綿谷ノボルに会った？」、僕は驚いて言った。「それは、つまり、客としてですか？」

加納クレタは黙ってうなずいた。

「でも」と僕は言った。それからしばらく、僕は黙って言葉を吟味していた。「よくわからないな。お姉さんは僕に、あなたが綿谷ノボルにレイプされたようなことを言っていたんですよ。それはまた別の話なんですか？」

加納クレタは膝《ひざ》の上のハンカチを手に取って、それでまた口許《くちもと》を軽く拭《ぬぐ》った。そして僕の目をじっと覗《のぞ》き込むようにして見た。彼女の瞳《ひとみ》には何か僕の心を乱すものがあった。

「申し訳ないのですが、コーヒーをもう一杯いただけませんでしょうか」

「もちろん」と僕は言った。僕はテーブルの上のカップを盆に載せて下げ、台所でコーヒーを温めた。僕はズボンのポケットに両手をつっこみ、水切り台にもたれてコーヒーが沸くのを待った。僕がコーヒーカップを持って居間に戻ってきたとき、ソファーの上には加納クレタの姿はなかった。彼女のバッグも、彼女のハンカチも、何もかもが消えてしまっていた。僕は玄関に行ってみた。彼女の靴《くつ》はなかった。

9 電気の絶対的な不足と暗渠、かつらについての笠原メイの考察

朝、クミコを送りだしたあとで区営プールに泳ぎにいった。午前中はプールがいちばんすいている時間なのだ。家に帰ると台所でコーヒーを作り、それを飲みながら、中途半端《はんぱ》なまま終わってしまった加納クレタの奇妙な身の上話についてあれこれと考えを巡らせた。彼女が話したことをひとつひとつ順番に思いだしていった。思いだせば思いだすほど奇妙な話だった。でもそのうちに頭がうまく回らなくなってきた。眠くなってきたのだ。気が遠くなってしまいそうなほどの眠さだった。僕はソファーに横になって目を閉じ、そのまま眠ってしまった。そして夢を見た。

夢には加納クレタが出てきた。しかしまず最初に出てきたのは加納マルタの方だった。夢の中で加納マルタはチロル風の帽子を被《かぶ》っていた。帽子には大きくて色の鮮やかな羽根がついていた。そこは多くの人々で込み合っていたのだけれど（広いホール

のような場所だ）、派手な帽子を被った加納マルタの姿はすぐに目についた。彼女は一人でバーのカウンターに座っていた。大きなグラスに入ったトロピカル・ドリンクのようなものが彼女の前に置かれていたが、加納マルタが実際にそれに口をつけているのかどうかまでは、僕にはわからなかった。

僕はスーツを着て、例の水玉のネクタイをしめていた。彼女の姿を見つけると、まっすぐそこに行こうとしたが、人込みに遮《さえぎ》られてうまく前に進むことができなかった。ようやくカウンターにたどり着いた時には、加納マルタの姿はもうなかった。トロピカル・ドリンクのグラスがぽつんと置かれているだけだった。僕はその隣の席に座ってスコッチのオンザロックを注文した。スコッチは何がよろしいでしょうかとバーテンダーが尋ね、カティーサークと僕は言った。銘柄《めいがら》なんてべつになんだってよかったのだが、最初にカティーサークという名前が頭に浮かんだ。

でも注文した飲み物が出てくる前に、誰かが後ろからまるで壊れやすいものでも摑《つか》むように、そっと僕の腕を取った。振りかえると、そこには顔のない男がいた。本当に顔がないのかどうかまではわからない。でも顔のあるべき部分が暗い影にすっぽりと覆《おお》われていて、その奥に何があるのかがうかがえない。「こちらです、岡田さん」と男は言った。僕は何かを言おうとしたが、彼は口を開く暇を与えなかった。「どうかこちらにいらしてください。あまり時間がありません。急いで」、彼は僕の腕を摑んだまま込んだホールを早足で抜け、廊下に出た。僕はとくべつ抵抗もせず、男に導かれるままに廊下を歩いていった。この男は少なくとも僕の名前を知っている。誰彼かまわず行きあたりばったりにこんなことをしているわけではない。そこには何かしらの理由と目的があるのだ。

顔のない男はしばらく廊下を歩いてから、ひとつのドアの前で立ち止まった。ドアには208という番号札がついていた。「鍵《かぎ》はかかっていません。あなたが開けて下さい」。僕は言われるままにそのドアを開けた。中は広い部屋になっていた。古いホテルのスイート・ルームのように見える。天井が高く、そこから古風なシャンデリアが下がっていた。でもシャンデリアの明かりはついていない。小さな壁つき電灯がほの暗い光を放っているだけだ。窓のカーテンはぜんぶきちんと引かれていた。

「ウィスキーならそこにいくらでもあります。たしかカティーサークがよろしいんでしたね。どうぞ遠慮なく飲んでください」、顔のない男はドアのすぐわきにある戸棚《とだな》を指さして言った。そして僕を部屋の中に残して、音もなくドアを閉めた。僕はどうしたものか決めかねたまま、長いあいだ部屋の中央に立ちすくんでいた。

部屋の壁には大きな油絵がかかっていた。河の絵だった。僕は気持ちを落ちつけるためにしばらくその絵を眺《なが》めていた。河の上には月が出ていた。月は対岸をぼんやりと照らしていたが、そこにいったいどのような風景があるのか、僕には見届けることはできなかった。月の光はあまりにも弱く、すべての輪郭が漠然《ばくぜん》としてとりとめがなかった。

でもそのうちにウィスキーがひどく飲みたくなってきた。僕は顔のない男に言われたように、戸棚をあけてウィスキーをひとくち飲もうと思った。しかし戸棚はどうしても開かなかった。扉《とびら》のように見えるのは、ぜんぶ巧妙に作られた贋《にせ》の扉だった。僕はしばらくあちこちの出っ張りを押したり引いたりして試してみたのだが、やはりどうしてもそれは開かなかった。

「それは簡単には開かないのですよ、岡田様」と加納クレタが言った。ふと気がつくとそこには加納クレタがいた。彼女はやはり一九六〇年代初期的な恰好《かっこう》をしていた。「開くまでに時間がかかるんです。今日はもう無理です。あきらめてください」

彼女は僕の目の前で、まるで豆の莢《さや》でも剝《む》くみたいにするすると服を脱いで裸になった。前置きもなければ、説明もなかった。「ねえ、岡田様、長く時間が取れないんです。なるべく急いで済ませてしまいましょう。ゆっくりできなくて申し訳ないとは思うんですが、いろいろと事情があるんです。ここに来るだけでも大変だったんですよ」、そして彼女は僕の方にやってくると、僕のズボンのジッパーをおろし、ごく当たり前のことのように僕のペニスを取り出した。そして黒いつけまつげをつけた目をそっと伏せて、それを口の中にすっぽりと入れた。彼女の口は僕が思っていたよりもずっと大きかった。僕のペニスは彼女の口の中ですぐに固く大きくなった。彼女が舌を動かすと、カールした髪がそよ風に吹かれるように小さく揺れた。その毛先が、僕の太ももを撫《な》でた。僕に見えるのは、彼女の髪とつけまつげだけだった。僕はベッドに腰かけ、彼女は床に膝をついて、僕の下腹部に顔を埋めていた。「駄目《だめ》だよ」と僕は言った。「だってもうすぐここに綿谷ノボルが来るんだろう。鉢合《はちあ》わせしたりしたら大変なことになる。僕はこんなところであの男に会いたくないんだ」

「大丈夫です」と加納クレタは僕のペニスから口をはなして言った。「まだそれくらいの時間はあります。心配しないで」

そしてまた彼女は舌の先を僕のペニスに這《は》わせた。僕は射精したくなかった。でもしないわけにはいかなかった。それはどこかに呑《の》み込まれていくような感覚だった。彼女の唇《くちびる》と舌はまるでぬるぬるとした生命体のように、僕をしっかりと捉《とら》えていた。僕は射精した。そして、目を覚ました。

やれやれ、と僕は思った。浴室に行って汚れた下着を洗い、ねっとりとした夢の感触を追い払うために熱いシャワーで丁寧に体を洗った。夢精なんてしたのはいったい何年ぶりのことだろう。僕は最後に夢精したのがいつのことだったか思いだそうとした。でも思いだせなかった。とにかく思いだせないくらい昔のことだった。

シャワーから出てタオルで体を拭《ふ》いているところで電話のベルが鳴った。電話をかけてきたのはクミコだった。僕は夢の中で他の女性を相手に射精したばかりだったので、クミコと話をすることに少し緊張した。

「声が変だけど、何かあったの？」とクミコは言った。彼女はそういうことに対してはおそろしく敏感なのだ。

「べつに何もないよ」と僕は言った。「ちょっとうとうとして、今目が覚めたばかりなんだ」

「ふうん」と彼女は疑わしそうに言った。彼女の感じている疑わしさが受話器を通して伝わってきて、それがもっと僕を緊張させた。

「悪いけれど、今日は帰りが少しおそくなると思うの。ひょっとしたら九時くらいになるかもしれない。いずれにせよ食事は外でするから」

「いいよ、夕食は僕ひとりで適当に済ませておくよ」

「ごめんね」と彼女は言った。ふと思いだしてつけ加えたみたいに。そしてちょっと間を置いてから電話を切った。

僕は受話器をしばらく眺め、それから台所に行って、林檎《りんご》をむいて食べた。

僕は六年前にクミコと結婚してから今まで、他の女と寝たことは一度もない。といっても、僕がクミコ以外の女性に対して性欲をまったく抱かなかったということではない。あるいはまたそういう機会がまったくなかったというのでもない。ただ僕はそのような機会をとくに追求はしなかったということだ。それは、うまく説明できないのだけれど、人生におけるものごとの優先順位のようなことではなかったかと思う。

ただ一度、ふとした成り行きで、ある女の子の家に泊まったことがあった。僕はその女の子に好意を抱いていたし、彼女は僕と寝てもいいと思っていた。相手がそう思っていることは僕にもわかった。それでも僕は彼女と寝なかった。

彼女は、僕が事務所で何年か一緒に働いていた女の子だった。年齢は僕より二つか三つ下だったと思う。電話を受けたり、みんなのスケジュールを調整したりするのが仕事だったが、そういうことに関しては本当に有能だった。勘のいい娘だったし、記憶力にも優れていた。誰が今どこにいてどんな仕事をやっているのか、どのような資料はどこの戸棚に入っているのか、彼女に尋ねればわからないことはまずなかった。アポイントメントもぜんぶ彼女が取った。彼女はみんなに好かれたし、信頼されていた。僕と彼女とはまあ個人的に親しいといってもいい間柄だったし、何度か二人で飲みにいったりもした。美人とは言いがたいけれど、僕は彼女の顔だちが好きだった。

彼女が結婚するために仕事を辞めることになったとき（結婚相手の仕事の関係で九州に引っ越さなくてはならなかったのだ）、最後の仕事の日に、僕は職場の他の何人かの同僚と一緒に彼女を誘って飲みに行った。帰りの電車が一緒だったし、もう時間も遅かったから僕は彼女をアパートまで送った。アパートの入口に着くと、ちょっと中に入ってコーヒーでも飲んでいかないかと彼女は誘った。終電車の時刻が気にはなったが、もうこの先顔をあわせることもないかもしれないし、コーヒーを飲んで酔いを覚ましたくもあったので、部屋に寄ることにした。それはいかにも女の子がひとりで暮らしているような部屋だった。一人暮しにしてはいささか立派すぎる大型冷蔵庫と本箱に入ってしまう小さなステレオ装置があった。冷蔵庫は知り合いにタダでもらったのよ、と彼女は言った。彼女は隣の部屋で楽な服に着替え、台所でコーヒーを作ってくれた。僕らは床に二人で並んで座って話をした。

「ねえ、岡田さんには何かとくべつ具体的に怖いものがある？」話が途切れたときに、彼女はふと思いついたように僕にそう尋ねた。

「とくにそういうものはないと思う」と僕は少し考えてから言った。怖いものはいくつかはあるだろうけれど、とくべつにと言われると思いつけない。「君は？」

「私は暗渠《あんきょ》が怖いの」と彼女は膝を両腕で抱きしめるような恰好で言った。「暗渠って知ってるでしょう？　地下の水路。蓋《ふた》をされた真っ暗な流れ」

「アンキョ」と僕は言った。どんな字を書けばいいのか、僕には思いだせなかった。

「私は福島の田舎で生まれて育ったんだけれど、私の家のすぐ近くに小さな川が流れていたの。よく農業用水を流すような小さな川なんだけど、それが途中から暗渠になっているの。私はそのとき二つか三つくらいで、近所の少し年上の子供たちと遊んでいたらしいの。その子供たちは私を小さな船に乗せて川に流したの。それはきっといつもやっていた遊びなんでしょうね。でもそのときは雨あがりで水かさが増えてたせいで、船は子供たちの手を離れて、そして私は暗渠の入口に向けてまっすぐに押し流されていったの。もしたまたま近所のおじさんがそこを通りかからなかったら、私はまず間違いなくその暗渠の中に吸い込まれて、それっきり行方が分からなくなっていたと思う」

彼女は生きていることをもう一度確認するみたいに左手の指で口もとを撫でた。

「そのときの光景を今でもよく覚えてるのよ。私は仰向けになって流されているの。石垣《いしがき》のようになった川の壁が見えて、その上にくっきりとした綺麗《きれい》な青い空が広がっている。そして私はどんどん、どんどん流されていく。何がどうなっているのか、私にはわからない。でもそのうちに、その先に暗闇《くらやみ》があるんだっていうことが、突然私にわかるの。そしてそれは本当にあるの。やがてその暗闇が近づいてきて、私を呑み込もうとする。ひやっとした影の感触が今まさに私を包もうとする。それが私にとっての人生のいちばん最初の記憶」

彼女はコーヒーをひとくち飲んだ。

「怖いのよ、岡田さん」と彼女は言った。「怖くて怖くて仕方ないの。我慢できないくらい怖い。そのときと同じ。私はどんどんそこに流されていくの。私にはそこから逃げることができないの」

彼女はハンドバッグから煙草《たばこ》を出して口にくわえ、マッチで火をつけた。そしてゆっくりと煙をはきだした。彼女が煙草を吸うのを見るのはそれが初めてだった。

「君は結婚のことを言ってるの？」

彼女はうなずいた。「そう、結婚のことを言ってるの」

「結婚について何か具体的な問題があるのかな？」と僕は尋ねた。

彼女は首を振った。「具体的な問題というようなものはとくにないと思う。もちろん細かいことを言いだせばきりはないけれど」

なんと言えばいいのか、僕にはよくわからなかったけれど、とにかく何かを言わなくてはならないような雰囲気《ふんいき》だった。

「これから誰かと結婚しようというようなときには、多かれ少なかれみんな同じような気持ちを経験するんじゃないのかな。自分がひょっとして大きな間違いを犯そうとしているんじゃないかというようなね。でもそれはむしろあって当然な不安だろう。誰かと一生をともにするなんていうのは、やっぱり大きな決断だもの。だからそんなに怖がることはないと僕は思うな」

「そんな風に言っちゃうのは簡単よ。みんなそうなんだ、みんな同じだって、言うのは」と彼女は言った。

時計は十一時を回っていた。なんとかうまく話をまとめて切り上げなくてはと僕は思った。でも僕が何かを言いだす前に、彼女は突然僕に向かって抱きしめてほしいと言った。

「どうして？」と僕はびっくりして訊《き》いた。

「私を充電してほしいの」と彼女は言った。

「充電？」

「体の電気が足りないのよ」と彼女は言った。「しばらく前から私は毎日ほとんど眠ることができないでいるのよ。少し眠ると目が覚めて、それっきり眠れなくなってしまうの。何を考えることもできないの。そういう時には、誰かに充電してもらわなくちゃならないの。そうしないと、もうこれ以上生きていけなくなる。本当よ」

僕は彼女が酔っぱらっているのかと思って目を覗《のぞ》き込んでみた。でも彼女の目はいつもと同じ賢そうなクールな目に戻っていた。ぜんぜん酔っぱらってなんかいない。

「でもさ、君は来週結婚するんだぜ。彼にいくらでも抱いてもらえばいいじゃないか。毎晩でも抱いてもらえる。結婚なんてものはそのためにあるようなものなんだ。これから先電気に不足することはない」

彼女はそれには答えなかった。唇を結んで、ただじっと自分の足元を見ているだけだった。両足がきちんとそこに揃《そろ》えられていた。小さな白い足で、そこには十個の綺麗なかたちをした爪《つめ》がついていた。

「今が問題なのよ」と彼女は言った。「明日とか、来週とか、来月とかそういうことじゃないのよ。今足りないの」

彼女は本当に真剣に誰かに抱かれたがっているようだったので、僕はとりあえずその体を抱きしめた。それは何だかすごく奇妙なものだった。彼女は僕にとって有能で、感じの良い同僚だった。僕らはひとつの部屋で仕事をし、冗談を言い、ときどき一緒に酒を飲んだりもした。しかしこうして仕事を離れて彼女の部屋でその体を抱いていると、それはただの温かい肉のかたまりに過ぎなかった。結局のところ、僕らは職場という舞台の上で、それぞれに割り当てられた役割を演じていただけなのだ、と僕は思った。ひとたびその舞台を下りてしまえば、そこで交換しあっていた暫定《ざんてい》的なイメージを取り去ってしまえば、僕らはみんなただの不安定で不器用な肉のかたまりにすぎない。それは一揃いの骨格と、消化器と心臓と脳と生殖器を備えたただの生温かい肉塊だった。僕は彼女の背中に手をまわし、彼女は僕の体に乳房をぎゅっと押しつけていた。実際に触れ合ってみると、彼女の乳房は思ったより大きくて柔らかかった。僕は床の上に座って壁にもたれ、彼女は僕にぐったりとよりかかっていた。僕らは何も言わずに、長いあいだじっとそのままの姿勢で抱き合っていた。

「これでいいのかな?」と僕は訊いた。それは自分の声には聞こえなかった。他の誰かが僕のかわりに喋《しゃべ》っているみたいだった。彼女がうなずくのがわかった。

彼女はスウェット・シャツに、薄い膝《ひざ》までのスカートをはいていた。でもやがて、彼女がその下に何もつけていないことを僕は知った。それがわかると、ほとんど自動的に勃起《ぼっき》した。そして彼女も僕が勃起していることに気づいたようだった。彼女の温かい息がずっと僕の首筋にかかっていた。

僕は彼女とは寝なかった。でも結局二時頃まで彼女を「充電」することになった。お願いだから私をこのままひとりにして帰らないで、私が眠るまでここにいて私を抱いていて、と彼女は言った。僕は彼女をベッドまでつれていって、そこに寝かせた。でも彼女はずっと寝なかった。僕はパジャマに着替えた彼女をずっと抱いて「充電」していた。腕の中で彼女の頬《ほお》が熱くなり、胸がどきどきしているのが感じられた。自分が正しいことをしているのかどうか、僕にもよくわからなかった。でもそれ以外にどのように状況を処理すればいいのか、見当もつかなかった。いちばん簡単なのは彼女と寝てしまうことだったが、僕はその可能性をなんとか頭から追い払った。僕の本能がそうするべきではないと告げていた。

「ねえ岡田さん、今日のことで私を嫌《きら》ったりしないでね。どうしようもないくらい電気が足りないだけなの」

「大丈夫だよ。よくわかっているから」と僕は言った。

家に電話をかけなくちゃと僕は思った。でも何といってクミコに説明をすればいいのだろう。嘘《うそ》をつくのは嫌《いや》だったし、かといってこんな事情を逐一説明したってちゃんと理解してもらえるとも思えなかった。そしてそのうちに、もうどうでもよくなってしまった。なるようになるだろう、と僕は思った。二時に彼女の部屋を出て、家に帰ったのは三時だった。タクシーをみつけるのに手間がかかったのだ。

クミコはもちろん腹を立てていた。彼女は眠らずに台所のテーブルに座って僕を待っていた。同僚と飲んで、それからマージャンをやっていたんだと僕は説明した。どうして電話の一本も入れられないのよ、と彼女は言った。電話のことなんて思いつきもしなかったんだ、と僕は言った。でももちろん彼女は納得しなかったし、嘘はすぐにばれてしまった。マージャンをやったことなんてもう何年もなかったし、だいたいにおいて、僕はうまく嘘をつくようにはできていないのだ。だから本当のことを言った。最初から最後まで——もちろん勃起した部分だけはぬかして——本当のことを話した。でも彼女とは本当に何もなかったんだ、と僕は言った。

クミコはそれから三日間僕とは口をきかなかった。まったくひとことも口をきかなかった。別の部屋で寝て、一人で食事をした。それは僕らの結婚生活が直面した最大の危機といってもよかった。彼女は僕に対して真剣に腹を立てていた。そして腹を立てる気持ちは僕にもよく理解できた。

「もしあなたが反対の立場に置かれたとしたら、あなたはどう思う？」、三日間の沈黙のあとでクミコは僕に向かってそう言った。それが彼女の最初の言葉だった。「もし私が電話の一本も入れずに日曜日の朝の三時に家に帰ってきて、今まで男の人と一緒にベッドに入っていたんだけど、何もしなかったから大丈夫よ、私を信じてちょうだい。ただその人に充電してあげてただけだから。さあこれから朝ご飯を食べてぐっすり寝ましょうって言ったら、あなたは腹も立てずにそれを信じてくれる？」

僕は黙っていた。

「あなたの場合はそれよりもっとひどいのよ」とクミコは言った。「あなたは最初は嘘をついたのよ。誰かとお酒を飲んで、マージャンをしていたんだって最初は言ったのよ。そしてそれは実は嘘だった。どうしてあなたがその人と寝てないって私に信じられるの？　それが嘘じゃないって、どうして私に信じられるのよ？」

「最初の嘘をついたのは悪かったと思う」と僕は言った。「嘘をついたのは、本当のことを説明するのが面倒だったからだよ。簡単に説明できないことだしさ。でもこれだけは信じてほしい。まずいようなことは本当に何もなかったんだ」

クミコはテーブルの上にしばらく顔を伏せていた。なんだかあたりの空気が少しずつ薄くなっているみたいに感じられた。

「うまく言えないけれど、信じてほしいという以外に説明のしようがないな」と僕は言った。

「あなたが信じてほしいっていうのなら、信じてもいいわよ」と彼女は言った。「でもこれだけは覚えていてね。私はいつかたぶん、それと同じことをあなたに対してするわよ。そのときに私の言うことを信じてね。私にはそうする権利があるのよ」

彼女はまだその権利を行使してはいない。そうなったときのことを僕はときどき考えてみる。たぶん僕は彼女の言うことを信じるだろう。でもたぶん、僕はやはり複雑な、そしてたぶんやりきれない気持ちになるだろう。どうしてわざわざそんなことをやらなくちゃいけないのか、と。そしてそれはまさに、クミコがそのときに僕に対して感じた気持ちなのだ。

「ねじまき鳥さん」と誰かが庭の方から叫んだ。それは笠原メイの声だった。

僕はタオルで髪を拭《ふ》きながら縁側に出てみた。彼女は縁側に腰かけて親指の爪を嚙《か》んでいた。彼女は最初に会ったときと同じ濃いサングラスをかけて、クリーム色のコットンのズボンの上に黒いポロシャツを着ていた。そして紙ばさみを手にしていた。

「あそこ乗り越えてきたのよ」と笠原メイは言って、ブロック塀《べい》を指さした。そしてズボンについたほこりを払った。「だいたいの見当をつけて乗り越えたんだけど、あなたの家で良かったわ。塀を乗り越えて間違えた家に入ったりしたらちょっと大変だものね」

彼女はポケットからショート・ホープを取り出して火をつけた。

「ところで、ねじまき鳥さんはお元気？」

「まあね」と僕は言った。

「ねえ、今からアルバイトに行くんだけど、よかったらねじまき鳥さんも一緒にこない？　ふたりでチームを組んでやる仕事だから、知っている人と一緒の方が私としてはらくちんなのよ。だって、ほら、初対面の人だといろんなことを訊かれるでしょう。歳《とし》は幾つかとかさ、どうして学校に行ってないんだとかさ、そういうのってけっこう面倒なのよ。ひょっとしたら相手がヘンタイの人かもしれないしね。そういうことだって、ないわけじゃないでしょう。だから、ねじまき鳥さんが一緒に来てくれると私としても助かるんだけどね」

「それは君が前に言っていたかつらメーカーの調査の仕事？」

「そう」と彼女は言った。「一時から四時まで銀座で禿《は》げた人の数を数えるだけ。簡単なものよ。それにあなたのためにもなると思うわよ。あなただってそのぶんじゃどうせいつか禿げるんだから、今のうちにいろいろと見て研究しておいた方がいいんじゃないかしら」

「でもさ、学校に行かないで昼間から銀座でそんなことをしていて、補導されたりしないの？」

「社会科の課外授業で調査をしているとかなんとか言えばいいの。いつもその手で誤魔化しているから大丈夫よ」

僕にはとくに予定もなかったから、彼女につきあうことにした。笠原メイはその会社に電話をかけて、これからそちらに行くと言った。彼女は電話ではきちんとした普通の喋り方をした。はい、その人と一緒に組んで仕事をしたいと思うんです。ええ、そうです。大丈夫です。ありがとうございます。はいわかりました、承知しました、十二時過ぎにはうかがえると思います、と彼女は言った。妻が早く家に帰ってきた場合のために、六時までに戻るという書き置きをして、僕は笠原メイと一緒に家を出た。

かつらメーカーの会社は新橋にあった。笠原メイは地下鉄の中で調査の内容を簡単に説明してくれた。彼女の説明によれば、僕らは街角に立って、通りを歩く禿げた（あるいは髪の薄い）人たちの数を数えるのだ。そして彼らを、その禿げの進行の度合いにしたがって三段階に分類する。(梅) いささか髪が薄くなってきたと思える人、(竹) 相当に薄くなっている人、(松) 完全に禿げている人、の三段階だった。彼女は紙ばさみを開けて調査用のパンフレットを取り出し、そこにあるさまざまな禿げ方の実例を見せてくれた。それぞれの禿げ具合が、進行の度合いによって松竹梅の三段階にわけてあった。

「これでだいたいの要領はわかるでしょう。どれくらいの禿げ具合の人が、どの段階に入るかってことが。まあ細かいことを言いだせばきりないけど、だいたいどのへんがどれってわかるじゃない。おおよそでいいんだから」

「まあだいたいはわかると思うけど」と僕はあまり自信のない声で言った。

彼女の隣の席にはあきらかに (竹) 段階に達していると思える太ったサラリーマン風の男が座っていて、いかにも居心地悪そうにちらちらとそのパンフレットに目をやっていたが、笠原メイはそんなことはまったく気にもしていないようだった。

「私が松・竹・梅の区別は引き受けるから。あなたは私の横にいて、私が松とか竹とか言うたびに、それを調査用紙に記録すればいいの。どう、簡単でしょう?」

「まあね」と僕は言った。「でもそんな調査をして、いったいどんなメリットがあるんだろう?」

「そんなこと知らないわ」と彼女は言った。「あの人たちあちこちでそういう調査をしているのよ。新宿とか渋谷とか青山とかで。どこの街にいちばん禿げた人が多いか調べてるんじゃないかしら。あるいは松竹梅の人口比率を調べているのかもね。でもいずれにせよ、あの人たちお金が余ってるのよ。だからこういうことにお金を使えるのよ。かつら業界ってなにしろ儲《もう》かるんだから。ボーナスだってそのへんの商社なんかよりずっと沢山もらってるのよ。どうしてか知ってる？」

「さあ」

「かつらの寿命ってね、実はけっこう短いからよ。あなたは知らないかもしれないけど、だいたいあれ二、三年しかもたないのよ。最近のかつらはものすごく精巧に出来ているからね、それだけ消耗も激しいの。二年か長くても三年たったら、だいたいは買い替えなくちゃならないの。ぴったり地肌《じはだ》に密着しているから、かつらの下にある自前の毛が前より薄くなればなったで、もっときちんとフィットするものに替えなくちゃならないしね。それでね、まあとにかく、もしあなたがかつらを使っていて、二年経《た》ってそれが使えなくなったとしたら、あなたはこんな風に思うかしら？ うん、このかつらは消耗した。もう使えない。でも新しく買い替えるとまたお金もかかるし、だから僕は明日からかつらなしで会社に行こうって。そんな風に思えるかしら？」

僕は首を振った。「たぶん思えないと思う」

「そうよね、思えないわよね。つまりね、一度かつらを使いだした人は、ずっとかつらを使う宿命にあるのよ。だからこそかつらメーカーは儲かるの。こう言っちゃなんだけど、ドラッグのディーラーと同じよ。一度お客を摑《つか》んでしまえば、その人はずっとお客なの。おそらく死ぬまでお客なのよ。だって禿げた人に急に黒々と髪が生えてきた話なんて聞いたことないでしょう。かつらってね、だいたい五十万円くらい、いちばん手間のかかるのは百万円くらいするのよ。それを二年ごとに買い替えるんだものね、大変よ、これは。自動車だって四年か五年は乗るじゃない。下取りだってあるじゃない。でもかつらはそれよりももっとサイクルが短いの。そして下取りなんてものもないの」

「なるほど」と僕は言った。

「それにね、かつらメーカーは自前の美容院を経営しているわけ。そこでみんなかつらを洗ったり、自前の毛を刈ったりしているの。だってそうでしょう、床屋さんにいって鏡の前に座って、よっこらしょってかつらを取って、さあ刈ってくださいってちょっと言いにくいじゃない。そういう美容院のあがりだけでも相当なものになるの」

「君はいろんなことを知ってるんだな」と僕は感心して言った。彼女のとなりに座った〈竹〉のサラリーマンは熱心に僕らの話に耳をすませていた。

「うん私ね、そこの会社の人と仲良くなって、いろんなことを聞いちゃったの」と笠原メイは言った。「あの人たち儲かってしかたないんだから。東南アジアとか、そういう工賃の安いところでかつらを作らせてるの。毛髪だって、そっちで買いつけているのよ。タイとかフィリピンとかで。そういうところの女の子たちが髪を切って、かつら会社に売るの。それが場所によってはその人たちのお嫁入りの資金になるのよ。世界ってホントに変わってるわよね。このへんにいるどこかのおじさんの髪は、実はインドネシアの女の子の髪だったりするのよ」

そう言われると、僕とその〈竹〉のサラリーマンは反射的に車内を見回してしまった。

僕らは新橋にあるそのかつら会社に寄って、紙袋に入った調査用紙と鉛筆を受け取った。会社は業界で二番の売上ということだったが、顧客が気楽に入ってこられるように会社の入口はひどくひっそりとしていて、表には看板ひとつ出ていなかった。紙袋にも用紙にも、会社の名前は一切入っていない。僕は名前と住所と学歴と年齢をアルバイトの登録用紙に記入して、調査課に提出した。そこはおそろしく静かな職場だった。電話に向かって怒鳴っている人もいなければ、シャツの袖《そで》をまくってコンピューターのキーボードを夢中になって叩《たた》いている人もいなかった。みんな清潔な服を着て、それぞれの物静かな仕事に携わっていた。かつら会社には、これは当然なことなのだろうが、禿げている人の姿はなかった。そのうちの何人かはあるいは自社のかつらをつけているのかもしれない。でも誰がかつらをつけているのかつけていないのか、見分けることはできない。それは僕がこれまでに見た中では、いちばん奇妙な雰囲気《ふんいき》のある会社だった。

僕らはそこから地下鉄に乗って銀座通りまで行った。まだ少し時間があったし、腹もへっていたので、僕らはデイリー・クイーンに入ってハンバーガーを食べた。

「ねえ、ねじまき鳥さん」と笠原メイは言った。「あなたがもし禿げたら、かつらをつけると思う？」

「どうだろうな」と僕は言った。「面倒臭いのは苦手だから、禿げたら禿げたままにしておくんじゃないかな」

「うん、きっとその方がいいわよ」と彼女は口許についたケチャップを紙ナプキンで拭いた。「禿げてるのって、本人が考えてるほど悪くないわよ。そんなに気にすることじゃないと思うな」

「ふうん」と僕は言った。

それから僕らは和光の前の地下鉄の入口に腰をかけて、三時間にわたって薄毛の人々の数を数えた。地下鉄の入口に腰かけて、階段を上り下りする人の頭を見下ろしていると、頭髪の具合がいちばん正確に把握《はあく》できるのだ。笠原メイが松とか竹とか言うと、僕がそれを用紙に書き込んだ。笠原メイはそういう作業にとても馴《な》れているようだった。彼女は一度もとまどったり、言いよどんだり、言いなおしたりしなかった。彼女は実に素早く的確に、薄毛の度合いを三段階に区分していった。彼女は歩行者にけどられないように、小さな声で短く「松」とか「竹」とか言った。一度に何人もの薄毛の人々が通りかかることがあって、そういう時には彼女は「うめうめたけまつたけうめ」という風に早口で言わねばならなかった。一度上品そうな老紳士（彼自身は見事な白髪だった）がしばらく僕らの作業を眺《なが》めていたあとで、僕に「失礼ですが、あなたがたはそこで何をしていらっしゃるのでしょうか？」と質問した。

「調査なんです」と僕は手短に言った。

「何の調査ですか？」と彼は訊《き》いた。

「社会科の調査です」と僕は言った。

「うめまつうめ」と笠原メイが小さな声で僕に言った。
彼は納得できない顔でそのあともしばらく僕らの作業を眺めていたが、やがてあきらめてどこかに去っていった。

通りを隔てた三越の時計が四時を告げると、僕らは調査を切り上げた。そしてまたデイリー・クイーンに行ってコーヒーを飲んだ。とくに労力を使うような仕事ではなかったのだが、肩や首の筋肉が奇妙にこわばっていた。あるいはそれは、禿げている人の数をこっそりと数えるという行為に対して、僕が何か後ろめたさのようなものを感じていたからかもしれない。地下鉄に乗って新橋の会社に向かうあいだ、僕は禿げた人を見ると反射的に松とか竹とかに区別してしまったし、それはあまり気分の良いこととは言えなかった。でもいくらやめようと思っても、勢いのようなものがついてしまって、やめることができないのだ。僕らはその調査用紙を調査課に渡し、報酬を受け取った。労働時間と労働内容のわりには悪くない金額だった。僕は受取にサインをし、その金をポケットに入れた。僕と笠原メイは地下鉄に乗って新宿まで行き、それから小田急線に乗って家に帰った。そろそろ帰りのラッシュが始まっていた。込んだ電車に乗るのは実にひさしぶりだったが、べつに懐《なつ》かしくはなかった。

「悪くない仕事でしょう？」と笠原メイは電車の中で言った。「楽だし、ギャラもまあまあだし」

「悪くない」と僕はレモンドロップをなめながら言った。

「また今度一緒にやる？　週に一回くらいやれるんだけど」

「またやってもいいね」

「ねえ、ねじまき鳥さん」としばらくの沈黙のあとで、笠原メイはふと思いついたように言った。「私は思うんだけれど、人が禿げることを恐《こわ》がるのは、それが人生の終末みたいなのを思い起こさせるからじゃないかしら。つまりさ、人は禿げてくると、自分の人生が擦《す》り切れてきつつあるように感じるんじゃないかっていう気がするのよ。自分が死に向かって、最後の消耗に向かって、大きく一歩近づいたように感じるんじゃないかしら」

僕はそれについて考えてみた。「たしかにそういう考え方もあるかもしれないね」

「ねえ、ねじまき鳥さん、ときどき私考えるんだけれど、ゆっくりと時間をかけて、少しずつ死んでいくのって、いったいどんな気分かしら？」

僕は質問の趣旨がよくわからなかったので、吊《つ》り革を持ったまま姿勢を変えて、笠原メイの顔を覗《のぞ》き込んだ。「ゆっくり少しずつ死んでいくって、たとえば具体的にどういう場合のことだろう？」

「たとえばね……そうだな、どこか暗いところにひとりで閉じ込められて、食べるものものなく、飲むものもなく、だんだんちょっとずつ死んでいくような場合のことよ」

「それはたしかに辛《つら》いし、苦しいだろうな」と僕は言った。「なるべくならそういう死に方はしたくないね」

「でもね、ねじまき鳥さん、人生ってそもそもそういうものじゃないかしら。みんなどこかしら暗いところに閉じ込められて、食べるものや飲むものを取り上げられて、だんだんゆっくりと死んでいくものじゃないかしら。少しずつ、少しずつ」

僕は笑った。「君は君の歳《とし》にしては、ときどきものすごくペシミスティックな考え方をするね」

「そのペシなんとかってどういうこと？」

「ペシミスティック。世の中の暗いところだけを取り出して見るっていうことだよ」

ペシミスティック、と彼女は何度か口の中で繰り返した。

「ねじまき鳥さん」と彼女は僕の顔をじっと睨《にら》むように見上げながら言った。「私はまだ十六だし、世の中のことをあまりよくは知らないけれど、でもこれだけは確信をもって断言できるわよ。もし私がペシミスティックだとしたら、ペシミスティックじゃない世の中の大人はみんな馬鹿《ばか》よ」

10
マジックタッチ、風呂桶の中の死、形見の配達者

今住んでいる一軒家に越したのは、結婚して二年目の秋だった。それまで住んでいた高円寺のアパートが建て替えになり、そこを出なくてはならなかったのだ。それで安くて便利なアパートを探しまわったのだけれど、我々の予算にあうような物件はそう簡単にはみつからなかった。僕の叔父がそれを聞いて、自分が世田谷に持っている家にとりあえず住まないかと言ってきた。まだ彼が若いころに買って、十年ばかり自分で住んでいた家だった。叔父としてはその古くなった家を壊して、もう少し機能的な新しい家を建てたかったのだが、建築規制のせいで思うように建て替えることができなかった。近いうちに規制が緩和されるという話もあり、叔父はそれを待っているのだが、そのあいだ誰も住まわせないで空き家にしておくと税金がかかってくるし、

かといって知らない人間に貸してしまうと、出てもらうときにトラブルが起きかねない。だから、税金対策のための名目上の家賃として、それまでに払っていたアパートの家賃（それはかなり安いものだった）ぶんを払ってくれればそれでいい、そのかわり出ていってくれと言ったら三ヵ月で出ていってくれよ、と叔父は言った。それについては僕らにも異存はなかった。税金の事情のことはよくわからなかったけれど、少しのあいだだけでも安い家賃で一軒家に住めるのなら、それはまことにありがたい話だった。小田急線の駅まではけっこう距離があったが、家のまわりの環境は閑静な住宅街だったし、小さいながら庭もついていた。他人の家ではあったけれど、実際にそこに越してみると、僕らにも「所帯」が持てたんだなという実感のようなものがあった。

叔父は僕の母親の弟だったが、うるさいことは何も言わない人だった。さっぱりとしたさばけた性格といっていいのかもしれないが、余計なことは何も言わないだけに、いささか測りかねるというところがあった。でも僕は親戚《しんせき》の中ではその叔父にいちばん好感を持つことができた。彼は東京の大学を卒業すると、放送局に就職してラジオのアナウンサーになったのだが、十年ばかりその仕事を続けたあとで「飽きたから」と言って放送局を辞めて、銀座でバーを始めた。飾り気のない小さなバーだったが、それは本格的なカクテルを出すことでけっこう有名になり、何年かのうちに、他にも幾つかの飲食店を経営することになった。彼にはそういう商売に必要とされる才覚のようなものが備わっているらしく、どの店もずいぶん繁盛した。学生の頃《ころ》、僕は一度叔父に、あなたのやる店はどうしてみんなうまくいくんですかとたずねたことがある。たとえば銀座の同じような場所に同じような見かけの店を出しても、ある店は繁盛するし、ある店は潰《つぶ》れる。僕にはその理由がよくわからなかったのだ。叔父は両手の手のひらを広げて、僕に見せた。「マジックタッチだ」と叔父は真剣な顔で言った。それ以上は何も言わなかった。

　たしかに叔父にはマジックタッチのようなものがあったのかもしれない。しかしそれだけではなく、彼にはどこからともなく優秀な人材を集めてくる才能があった。叔父はそういう人々を高給を払って優遇し、彼らもまた叔父を慕ってよく働いた。「これはと思う人間には思い切って金を出し、機会を与えるんだよ」と叔父は僕に言ったことがある。「金で買えるものは、得とか損とかあまり考えずに、金で買ってしまうのがいちばんなんだ。余分なエネルギーは金で買えないもののためにとっておけばいい」

　彼は晩婚で、四十半ばになって経済的な成功を収めてからやっと身を固めた。相手は三つか四つ下の離婚経験のある女性で、彼女の方もかなりの資産を持っていた。彼女とどこでどういう風に知り合ったのか叔父も話さないし、僕にも見当がつかないわけだが、見るからに育ちのよさそうな、おとなしい人だった。二人のあいだには子供はいなかった。彼女はその前の結婚でも子供ができなかったようだった。あるいはそれが原因で結婚がうまくいかなかったのかもしれない。何はともあれ叔父は四十代半ばにして、資産家とまでは言えないにせよ、これ以上金のために身を粉にしてあくせく働かなくてもいいくらいの境遇にはあったわけだ。店からの収益の他に貸家や賃貸マンションからの収入があり、投資による堅実な配当があった。叔父は水商売をやっているせいで、堅実な職業とささやかな暮らしぶりで知られる我が一族の中では、いささか白い目で見られていたし、本人ももともとあまり親戚づきあいを好まなかった。しかし叔父は、ただ一人の甥《おい》である僕のことを昔からいろいろと気にかけてくれていた。僕が大学に入った年に母親が死んで、再婚した父親とのあいだが上手《うま》くいかなくなってからは、とくにそうだった。僕が大学生として東京で貧乏なひとり暮らしをしていた時分には、銀座にある何軒かの自分の店でよくただでご飯を食べさせてくれたものだった。

一軒家が面倒だからと言って、叔父夫婦は麻布の坂上にあるマンションに住んでいた。とくに贅沢《ぜいたく》な生活を好む人ではなかったが、珍しい車を買うのが唯一《ゆいいつ》の道楽で、ガレージに古い型のジャガーとアルファロメオを持っていた。どちらももうアンティークに近かったが実によく手入れされていて、まるで生まれたての赤ん坊みたいにぴかぴかだった。

叔父に用事があって電話をかけたついでに、ちょっと気になったので笠原メイの家のことを訊いてみた。

「笠原ねえ」と叔父はしばらく考えていた。「笠原という名前には覚えがないな。そこに住んでたころはひとりものだったし、近所づきあいもまるでしなかったからな」

「その笠原さんの家から路地を隔てた裏側に、ひとつ空き家があるんです」と僕は言った。「以前は宮脇っていう人が住んでいたらしいんですが、今は空き家で、雨戸に板が打ちつけてあります」

「その宮脇ならよく知ってるよ」と叔父は言った。「昔、何軒かレストランをやってた男だよ。銀座にも一軒出していた。仕事の関係もあって何度か会って話したことがある。店は正直言って、あまりたいした店じゃなかったけど、場所がいいんで経営はけっこう順調にいってたと思ったな。宮脇っていうのはなかなか感じのいい人物なんだが、まあ坊ちゃん育ちだな。苦労を知らんのかそれとも苦労が身につかんのか、いずれにせよ年相応に年が取れないってタイプだ。誰かに勧められるままに株に手を出していたんだけど、そいつがやばい相場に金をつぎこんでいてね、損金をひっかぶって土地も家も店も全部手放すことになった。ちょうど具合の悪いことに、新しい店を出すために家と土地を抵当に入れていたところだったんだ。塀《へい》のつっかい棒を取ったところにもろに横風をくらったようなものさ。たしか年頃の娘が二人いたと思ったな」

「それ以来あの家にはずっと誰も住んでいないんですね」

「へえ」と叔父は言った。「誰も住んでいないのか。じゃあきっと所有権がこじれて、資産が凍結状態か何かになっているんだろう。でもあの家はちょっと安くても買わない方がいいぞ」

「そんなの、ちょっと安くたって買えやしませんよ」と僕は笑って言った。「でもどうしてですか？」

「俺《おれ》も自分の家を買うときにちょっと調べたんだけどな、あそこにはいろいろとまずいことがあるんだ」

「おばけとかそういうやつですか？」

「おばけまでは俺も知らんけど、あの地所に関してはあまり良い話がないんだ」と叔父は言った。「あそこには終戦までは、なんとかいうけっこう名の知られた軍人が住んでいたんだ。戦争中北支にいた大佐で、陸軍のばりばりのエリートだった。彼の率いていた部隊はあっちの方でかなりの勲功も上げたが、それと同時にいろいろとひどいこともやったらしい。戦時捕虜を五百人近くまとめて処刑したり、農民を何万人もかきあつめて強制労働でこきつかって半分以上死なせたりな。まあ聞いた話だから真偽のほどはわからんけどね。彼は戦争が終わる少し前に内地に呼び返されて、東京で終戦を迎えたんだが、まわりの状況を見ると、戦犯の容疑で極東軍事裁判にかけられる公算が大きかった。中国であばれていた将軍やら佐官級やらがどんどんＭＰに引っ張られていたんだ。彼は裁判にかけられるつもりはなかった。さらし者にされて、そのあげくに絞首刑《こうしゅけい》になるのだけは御免だった。そんなことになるくらいなら、自分で命を絶とうと思っていた。だから米軍のジープが家の前に止まって、アメリカ兵がそこから下りてくるのを見ると、その大佐はためらうことなくピストルで自分の頭を撃ち抜いた。本当は腹を切りたかったんだが、そんなことをしているような時間的な余裕はなかった。ピストルの方があっさり早く死ねる。そして奥さんは夫のあとを追って台所で首を吊ったんだ」

「ほう」

「でもそれはガールフレンドの家を探しに来て、道に迷ってしまったただの普通のGIだったんだ。そのへんの誰かに道を訊《き》こうと思ってジープをちょっと止めただけだったんだよ。お前も知ってるように、あの辺の道は初めての人間にはちょっとわかりにくいからな。人間、死に際《ぎわ》を見定めるというのは簡単なことじゃないよ」

「そうですね」

「そのあとあそこはしばらく空き家になっていたんだが、やがてある映画女優がその家を買った。もう昔の人だし、それほどは有名な女優じゃないから、お前は名前は知らんと思うよ。その女優はそこに、そうだな、十年くらいは住んだかな。独り身でね、女中さんと二人で住んでいたんだ。ところがこの女優はその家に移ってきて何年かして目の病気を患《わずら》った。目がかすんで、かなり近くのものでも、ぼんやりとしか見えなくなった。でも女優だから、眼鏡をかけて仕事をするわけにはいかない。コンタクト・レンズも、その頃にはまだ今ほどいいものができていなかったし、一般的じゃなかった。だから彼女はいつも、撮影現場の地理をまずよく調べて、ここを何歩行けば何があって、そこからこっちに何歩行けば何がある、というのを頭の中に入れてから演技をすることにしていた。昔の松竹のホームドラマだからね、それでなんとかやっていけたんだ。昔は何事によらずのんびりしていたんだな。でもある日、彼女がいつものように現場を下調べして、これで大丈夫と安心して楽屋に帰ってしまったあとで、事情をよく知らない若いカメラマンが、セットのいろんなものをちょっとずつ移動してしまった」

「ふうん」

「それで彼女は足を踏みはずして何処《どこ》かに転げ落ちて、もう歩けなくなってしまった。その上に、その事故がきっかけになったのか視力もますます衰えていった。ほとんど盲目に近いくらいにまでなってしまった。気の毒に、まだ若くて綺麗《きれい》な人だったんだけどね。もちろんもう映画の仕事なんかできない。ただ家の中でじっとしているだけだよ。そうこうしているうちに、すっかり信用しきっていた女中が金を持って男と逃げてしまったんだ。銀行預金から株券から何から何まで全部。ひどい話だ。それで彼女はどうしたと思う？」

「話の成り行きからすると、どうせ明るい結末じゃないんでしょう？」

「まあね」と叔父は言った。「風呂桶に水を張って、そこに顔をつけて自殺したんだ。お前にもわかると思うけれど、よほど意志が強くないとそういう死に方はできない」

「明るくないですね」

「ぜんぜん明るくない」と叔父は言った。「そのあとしばらくしてから、宮脇がその土地を買ったんだ。環境もいいし、高台で日当たりはいいし、土地もひろいしね、みんなあそこは欲しがるんだ。でも彼もその前に住んでいた人たちについての暗い話は聞いていたから、とにかく家は土台から全部壊して、新しい家を建てなおした。御祓《おはら》いだってしてもらった。しかしそれでも駄目《だめ》だったみたいだね。あそこに住むとろくなことはないんだよ。世の中にはそういう土地があるんだ。ただでくれると言っても俺はことわるね」

近所のスーパーマーケットで買い物をしたあとで、僕は夕食の下ごしらえをした。洗濯《せんたく》ものを取り込み、畳んで引き出しにしまった。台所に行って、コーヒーを作って飲んだ。一度も電話のベルの鳴らない静かな一日だった。僕はソファーに寝ころんで本を読んだ。読書を邪魔するものは誰もいなかった。ときどき庭でねじまき鳥が鳴いた。それ以外には物音らしい物音はしなかった。

四時頃に誰かが玄関のベルを押した。郵便配達人だった。彼は書留だと言って、僕に分厚い封筒を差し出した。僕は受取りの紙に印鑑を押し、それを受け取った。

立派な和紙の封筒には毛筆で黒々と僕の名前と住所が書いてあった。裏を見ると、差出人の名前は「間宮徳太郎」とあった。住所は広島県――郡だった。間宮徳太郎という名前にも、その広島県の住所にもまったく覚えがなかった。それに毛筆の筆跡からしても、間宮徳太郎氏はかなりの年配であるようだった。

僕はソファーに座って、はさみで封筒の封を切った。手紙は古風な和紙の巻紙に、やはり毛筆ですらすらと書かれていた。教養のある人物らしくなかなか見事な字だったが、僕の方にその種の教養がないせいで、読むのにひどく骨が折れた。文体もかなり古風でかしこまったものだった。しかし時間をかけて解読してみると、そこに書いてあるおおよその内容は理解できた。彼の手紙によれば、僕らが普通っていた占いの本田さんが二週間ばかり前に目黒の自宅で亡《な》くなったということだった。心臓発作だった。医者の話によれば、さして苦しまずに短時間のうちに息を引き取ったであろうということであった。独り暮らしの身でありましたし、それはやはり不幸中の幸いというべきでありましょう、と手紙にはあった。朝お手伝いさんが掃除にやってきて、彼がこたつの上につっぷして死んでいるのをみつけたのだ。間宮徳太郎氏は戦争中陸軍中尉《ちゅうい》として満州に駐留し、作戦中にふとしたことで本田伍長《ごちょう》と生死をともにしたことがあった。そして今回、本田大石氏の死去にあたって、故人の強い遺志に従い、遺族にかわって故人の形見の配分を引き受ける役を務めていた。故人は形見の配分に対して非常に細かい指示を書き残していた。「それはあたかも本人がきたるべき己の死を予期していたかのごとき、詳細にして綿密なる遺書でありました。そして岡田亨様におかれましても、ある記念の品をお受け取りいただければ幸甚《こうじん》であると、その遺書の中で故人は申しております」と手紙にはあった。「岡田様におかれましてはご多忙の中とは拝察いたしますれども、故人の遺志をお汲《く》みとりいただき、故人を偲《しの》ぶささやかなる記念の品としてこれをお受け取りいただきますれば、やはり老い先の短いひとりの戦友といたしましては、これにまさる喜びはございません」。そして手紙の最後に東京における滞在先が書いてあった。文京区本郷二丁目——番地間宮某方、とあった。たぶん親戚《しんせき》の家にでも滞在しているのだろう。

僕は台所のテーブルで返事を書いた。とりあえず葉書に簡単に用件だけを書いておこうと思ったのだが、いざペンを取るとなかなか適切な言葉が出てこなかった。故人には縁あって生前なにかとお世話になりました。本田様がもう生きておられないのかと思いますと、いくつかの思い出が胸に去来いたします。年齢も大きく離れておりましたし、僅《わず》か一年ばかりの行き来でありましたが、故人には何かしら、人の心を揺るがすものがあるように感じたものでした。氏が私のようなものに対して名指しで形見の品を残されたということは、正直に申し上げまして、私の予想もつかぬことでありました。そしてまた私にそのようなものを頂く資格があるものかどうかもわかりません。しかしそれが故人の望まれたことであれば、もちろん謹んで拝受したいと思います。ご都合のよろしい折りに、ご連絡いただければ幸いです。

僕はその葉書を近所のポストに入れた。

死んでこそ、浮かぶ瀬もあれ、ノモンハン——と僕はひとりごとを言った。

クミコが帰ってきたのはもう夜の十時に近かった。彼女は六時前に電話をかけてきて、今日も早く帰れそうにないので、先に食事をすませてしまってくれ、自分は何か外で適当に食べるから、と言った。いいよ、と僕は言った。そして一人で簡単な夕食を作って食べた。そのあとはまた本を読んだ。クミコは帰ってきてビールを少しだけ飲みたいと言ったので、僕らはビールの中瓶《ちゅうびん》を半分ずつ飲んだ。彼女は疲れているように見えた。彼女は台所のテーブルに向かって頬杖《ほおづえ》をついて、僕が話しかけてもあまり多くを語らなかった。何か別のことを考えているようだった。僕は本田さんの亡くなったことを彼女に話した。へえ、本田さんが亡くなったの、と彼女はため息をついて言った。でもまあ歳《とし》だったものね、耳だってよく聞こえなかったし、と彼女は言った。しかし彼が僕に形見を残したと言ったとき、彼女はまるで空から何かが突然落ちてきたみたいに驚いた。

「あなたに形見を残したの、あの人が？」

「そう。どうして僕に形見なんか残したのか、見当もつかないんだけどね」

クミコは眉《まゆ》をしかめてそれについてしばらく考えていた。

「あるいはあなたのことが気に入っていたんじゃないかしら」

「でも僕とあの人とは、話というほどの話なんかしてないんだぜ」と僕は言った。「少なくとも僕の方はほとんど何も話さなかった。何か話したって向こうはろくに聞こえないんだもの。月に一回、君とふたりでじっと前に座って、あの人の話を拝聴していただけだよ。それもほとんどがノモンハンの戦争の話だった。火炎瓶を投げたらどの戦車は燃えるけどどの戦車は燃えないとかさ、そんな話ばかりだよ」

「わかんないわ。あなたの何かが彼の気に入ったんでしょう、きっと。ああいう人の考えることって、私にはよくわかんないもの」

それからまた彼女は黙り込んだ。なんとなく気詰まりな沈黙だった。僕は壁にかかったカレンダーに目をやった。生理までにはまだ間があった。会社で何か嫌《いや》なことがあったのかもしれない、と僕は想像した。

「仕事が忙しすぎる？」と僕は訊いてみた。

「いささかね」、クミコは一口だけ飲んであとは残してしまったビールのグラスを眺《なが》めながら言った。彼女の口調には挑戦《ちようせん》的なひびきが少しまじっていた。「遅くなったのは悪かったわよ。雑誌の仕事だから、忙しい時期というのはあるのよ。でもこんなに遅くなることとって、そんなにしょっちゅうはないでしょう？　これでも私は無理を言って残業を少なくしてもらっている方なのよ。結婚しているからという理由で」

僕はうなずいた。「仕事なんだから、遅くなることもある。それはかまわないよ。君が疲れてるんじゃないかって心配しただけだよ」

彼女は長いあいだシャワーに入っていた。僕は彼女が買って帰ってきた週刊誌をぱらぱらと読みながら、ビールを飲んでいた。

ふとズボンのポケットに手をつっこむと、そこにはまだアルバイトのギャラが入ったままになっていた。僕はその金を封筒から出してもいなかった。そして僕はそのアルバイトのことをクミコには話していなかった。べつに隠すつもりはなかったのだが、話す機会をなくして、なんとなくそのままになってしまっていたのだ。そして時間が経過すると、僕にはそのことが不思議に話しづらくなってしまった。近所に住んでいる奇妙な十六歳の女の子と知り合いになって、ふたりで一緒にかつらメーカーの調査のアルバイトに行ったんだよ、ギャラは思ったより悪くなかったよ、と言えばそれで済んだのだ。クミコは「へえ、そうなの、良かったわね」と言って、それで話は終わってしまったかもしれない。しかし彼女は笠原メイについて知りたがるかもしれなかった。僕が十六の女の子と知り合ったことを気にするかもしれなかった。そうなると僕は笠原メイというのがどういう女の子で、僕がいつどこでどういう風に彼女と知り合ったかというようなことを、初めからいちいち説明しなくてはならないかもしれない。僕はものごとを順序だてて他人に説明するのがあまり得意ではないのだ。

僕は封筒から金だけを出して、それを財布に入れ、封筒は丸めて屑《くず》かごに捨てた。人はこのようにして少しずつ秘密というものを作り出していくのだな、と僕は思った。べつにそれをクミコに対して秘密にしておこうと意識して思っていたわけではない。もともとそれほど重要なことではないし、言っても言わなくてもどちらでもいいことだった。でもそれはある微妙な水路を通過することによって、最初のつもりがどうであれ、結局秘密という不透明な衣をかぶせられてしまうのだ。加納クレタのことにしてもそうだ。僕は加納マルタの妹が家に来たことを妻に話した。妹の名前は加納クレタっていうんだ、一九六〇年代初め風の恰好《かっこう》をしてるんだよ、その人がうちに水道の水を取りに来たんだ、と言った。でも彼女がそのあと突然わけのわからない打ち明け話を始めて、その話の途中で何も言わずにふっと消えてしまったことは黙っていた。加納クレタの話はあまりにも突拍子もない話だったし、その細かいニュアンスを再現して妻に正確に伝えることはまず不可能だったからだ。あるいはまたクミコは加納クレタが用事の終わったあとも長い時間うちに残って僕にややこしい個人的な打ち明け話をしたことを喜ばないかもしれない。そしてそのことも僕にとってのささやかな秘密になってしまった。

あるいはクミコだって、僕に対してこれと同じような秘密を持っているのかもしれないな、と僕は思った。でももしそうだとしても、僕には彼女を責めることはできなかった。誰だってそれくらいの秘密は抱えているものなのだ。しかしおそらく、彼女よりは僕の方がそういう秘密を持つ傾向は強いだろう。クミコはどちらかといえば、思ったことは口に出してしゃべってしまうタイプなのだ。しゃべりながらものを考えるタイプだ。でも僕はそうではない。

僕はなんとなく不安になって、洗面所まで行った。洗面所のドアは開けはなしになっていた。僕は戸口に立って、妻のうしろ姿を眺めた。彼女は青い無地のパジャマに着替え、鏡の前に立ってタオルで髪を拭《ふ》いていた。

「ねえ、僕の仕事のことなんだけどね」と僕は妻に言った。「僕も僕なりにいろいろと考えてはいるんだよ。友達にも声をかけてみた。自分でもいろいろとあたってはみた。仕事はなくはないんだ。だからいつでも働こうと思えば働けるんだよ。気持ちさえ決まれば、明日からでも働ける。でもさ、なんだか気持ちがまだ決まらないんだよ。僕にもよくわからないんだ。そんな風に適当に仕事を決めちゃっていいものかどうか」

「だからこの前も言ったでしょう。あなたのやりたいようにやればいいって」と彼女は鏡に映った僕の顔を見ながら言った。「何も今日明日のうちに仕事を決めなくちゃいけないというわけでもないのよ。もし経済的なことをあなたが気にしているのなら、ね、それは心配しなくてもいいわ。でももしあなたが仕事をしないと精神的に落ちつかないっていうのなら、私ひとりが外に出て働いてあなたが家で家事をやっていることを負担に感じるっていうのなら、とりあえず何か仕事をみつければいいじゃない。私はべつにどっちでもいいのよ」

「もちろんいつかは仕事をみつけなくちゃいけない。それはわかりきっているんだ。一生こんなことをやってぶらぶら暮らしていくわけにはいかないものね。遅かれ早かれ仕事はみつけるさ。でも正直に言って、どんな仕事に就けばいいのか、今の僕にはよくわからないんだ。仕事を辞めてしばらくのあいだは、また何か法律関係の仕事に就けばいいと気楽に思っていた。そういう関係のコネクションなら僕にも少しはあるからね。でも今はそういう気持ちにもなれないんだ。法律の仕事から離れて時間がたてばたつほど、法律というものに対してどんどん興味が持てなくなっていくんだ。それは僕のための仕事ではないという気がするんだ」

　妻は鏡の中の僕の顔を見た。

「でもだからといって、何をやりたいかっていうと、何もやりたいことがないんだ。やれと言われれば大抵のことはできそうな気もする。でもこれをやりたいっていうイメージがないんだよ。それが今の僕にとっての問題なんだ。イメージが持てないんだ」

「ねえ」、彼女はタオルを下に置き、僕の方を向いてそう言った。「もし法律が嫌になったんなら、法律の仕事なんてやらなければいいじゃない。司法試験のことだってあっさり忘れてしまえばいいじゃない。あわてて仕事をみつけることもないんだから、もしイメージが持てないのなら、イメージが湧《わ》いてくるまで待ちなさいよ。それでいいでしょう？」

　僕はうなずいた。「いちおう君に説明しておきたかっただけなんだ。僕がどういう風に考えているかということを」

「うん」と彼女は言った。

僕は台所に行って、グラスを洗った。妻は洗面所から出てきて、台所のテーブルに座った。

「ねえ、実は今日の午後に兄貴から電話がかかってきたのよ」と彼女は言った。

「へえ」

「それでどうも兄貴は選挙に出ることを考えているみたいなの。というか、もうほとんど出ることに決めているみたいなんだけど」

「選挙?」と僕はびっくりして言った。僕は本当に、しばらく声が出てこないくらい驚いたのだ。「選挙っていうと、ひょっとして国会議員のこと?」

「そうよ。次の選挙で新潟の伯父さんの選挙区から候補に立たないかっていう話がきてるんだって」

「でもその選挙区からは、伯父さんの息子の一人が後継者として立つっていう話でまとまっていたんじゃなかったっけ? 電通のディレクターだか何かしてる君の従兄弟《いとこ》が退職して新潟に帰るってことに」

彼女は綿棒を出してきて耳の掃除を始めた。「まあいちおうそういう予定になってはいたんだけどね、その従兄弟がやっぱり嫌だって言いだしたの。東京で家族を持ってけっこう楽しく働いているし、今更新潟に帰って議員なんかやりたくないって。奥さんが彼が選挙に出るのには大反対してるのもその大きな理由なの。要するに家庭を犠牲にしたくないっていうことよ」

クミコの父親の長兄はその新潟の選挙区から衆議院議員に選出され、四期か五期をつとめた。重量級とは言えないがまずまずの経歴の持ち主で、一度だけあまり重要ではない大臣の職についた。しかし高齢と心臓病のせいで、次回の選挙に出馬するのはむずかしく、そうなると誰かがその選挙区の地盤を継がねばならなかった。その伯父には二人の息子がいたが、長男は最初から政治家になるつもりはまったくなく、次男の方に白羽の矢が立っていたのだ。

「それに選挙区の方じゃどうしても兄貴が欲しいのよ。若くて、頭が切れて、ばりばりやれる人が欲しいのよ。これから何期も議員をつとめて、中央で実力者になれそうな人材が。それで、兄貴なら知名度も高いし、若い人たちの票もあつまるし、言うことないっていうの。まああの人には地元のどぶ板はやれっこないけれど、後援会が強いからそれは向こうの方で引き受ける、東京に住みたいのならそれでもかまわない。体ひとつで選挙にきてくれればそれでいいって」

綿谷ノボルが国会議員になっている姿がうまく僕には想像できなかった。「君はそれについてどう思う？」

「あの人のことは私には関係ないわ。国会議員にでも宇宙飛行士にでも、なりたいものになればいいのよ」

「でもどうしてわざわざ君にそんなことを相談してきたんだろう？」

「まさか」と彼女は乾いた声で言った。「相談してきたわけじゃないわよ。あの人が私に相談なんかするわけがないでしょう。ただこういう話があるからって私に通知してきただけよ。とりあえず家族の一員として」

「ふん」と僕は言った。「でも離婚経験があって、独身だというのは、国会議員の候補者として問題にならないのかな？」

「どうでしょうね」とクミコは言った。「政治とか選挙のことなんて、私にはよくわからないし、興味もないわ。でもそれはそれとして、あの人はおそらくもう二度と結婚しないわよ。誰とも。そもそも結婚なんてするべきじゃなかったのよ。だってあの人が求めているのは、もっと別のものなのよ。あなたや私が求めているのとは全然違う何かなの。それが私にはよくわかるの」

「へえ」と僕は言った。

クミコは二本の綿棒をティッシュペーパーにくるんでごみ箱に捨てた。そして顔を上げてじっと僕を見た。「昔、兄貴がマスターベーションしているところにでくわしたことがあるの。誰もいないと思って戸を開けたら、そこに兄貴がいたの」

「誰だってマスターベーションくらいするだろう」と僕は言った。

「そうじゃないのよ」と彼女は言った。そしてため息をついた。「それはお姉さんが死んで三年くらいたった頃だったかしら。彼が大学生で、私が小学校の四年か、それくらいのころよ。うちのお母さんは死んだお姉さんの服を処分しようかどうしようか迷って、結局取っておいたの。私が大きくなって着るかもしれないと思って。それを段ボール箱に入れて、押入れにしまっておいたの。兄貴はそれをとり出して、匂《にお》いをかいだりしながらそれをしていたの」

僕は黙っていた。

「私はその頃まだ小さかったし、性についても何も知らなかったから、兄貴がそこで何をしているのか正確には理解できなかった。でもそれが見てはいけない屈折した行為だというのだけは理解できたの。そしてそれが見かけよりはずっと深い行為だということがね」、クミコはそう言って静かに首を振った。

「綿谷ノボルは君がそれを見たことを知っているのかな？」

「だって目があったのよ」

僕はうなずいた。

「その服は結局どうなったの？　君は、大きくなってお姉さんの服は着たの？」

「まさか」と彼女は言った。

「彼は君のお姉さんのことが好きだったのかな？」

「どうかしら」とクミコは言った。「でもお姉さんに性的な関心を持っていたかどうかまでは知らないけれど、そこにはきっと何かがあったし、たぶん彼はその何かを離れることができないんじゃないかという気がするの。結婚なんてするべきじゃなかったと私が言うのは、そういうことよ」

　それからクミコは長いあいだ黙っていた。僕も何も言わなかった。

「あの人はそういう意味ではかなり深刻な精神的トラブルを抱えているのよ。もちろん私たちだって多かれ少なかれ精神的な問題を抱えてはいるわよ。でもあの人の抱えている精神的な問題は、私やあなたが抱えているものとはものが違うのよ。それはもっとずっと深くて固いのよ。そしてあの人はそういった傷なり弱みなりを、何があっても絶対に他人の目には晒《さら》そうとしないの。私の言ってること、わかる？　今回のこの選挙のことに関しても、私にはそれがいささか心配なのよ」

「心配って、何が？」

「わかんないわ。何かよ」と彼女は言った。「でも疲れたわ。これ以上何も考えられない。今日はもう寝ましょうよ」

僕は洗面所に行って歯を磨《みが》きながら、自分の顔を眺《なが》めた。僕は仕事をやめてから三ヵ月、ほとんど外の世界には出ていなかった。近所の商店と区営プールとこの家とのあいだをただ行ったり来たりしているだけだった。銀座の和光の前と品川のホテルを別にすれば、僕が行った家から最も遠い地点は駅前のクリーニング店だった。僕はそのあいだほとんど誰とも会っていなかった。三ヵ月のあいだに僕が「会った」と言える相手は、妻をべつにすれば、加納マルタとクレタの姉妹と、笠原メイだけだった。それは本当に狭い世界だった。そしてほとんど歩みを止めたような世界だった。しかし僕の含まれている世界がそのように狭くなればなるほど、それが静止したものになればなるほど、その世界は奇妙なものごとや奇妙な人々で満ちて溢《あふ》れてくるように僕には思えた。あたかも僕が歩を止めるのを、彼らが物陰に隠れてじっと待ち受けていたかのように。そしてねじまき鳥が庭にやってきてそのねじを巻くたびに、世界はますます混迷の度合いを深めていくのだ。

僕は口をゆすいで、それからまだしばらく自分の顔を見ていた。

イメージが持てないのだ、と僕は自分に向かって言った。僕は三十で、立ち止まって、それっきりイメージが持てないのだ。

洗面所から出て寝室に行ったとき、クミコは既に眠っていた。

11 間宮中尉の登場、温かい泥の中からやってきたもの、オーデコロン

三日後に間宮徳太郎氏から電話がかかってきた。朝の七時半で、僕は妻と一緒に朝食を取っているところだった。

「朝早くからお電話を差し上げまして申し訳ありません。お休みのところをお起こししてしまったのでなければいいのですが」と間宮氏はいかにも申し訳なさそうに言った。

朝はいつも六時過ぎには起きているから大丈夫です、と僕は言った。

彼は受け取った葉書の礼を言い、僕が仕事に出かける前にどうしても連絡を取りたかったのだと言った。そしてもし今日の昼休みにちょっとだけでも僕に会うことができれば大変に有り難いのだがと言った。というのは、彼は出来ることなら今日の夕方

の新幹線に乗って広島まで帰りたかったからだ。本来ならもう少しゆっくりできたはずなのだが、急用ができて、今日明日のうちに帰らなくてはならなくなったのだ。僕は彼に今のところ自分は職に就いていない身であり、一日ずっと暇だから、朝でも昼でも午後でもいつでも、そちらの都合のいい時間に会うことができると言った。

「しかし何かご予定がおありではないのですか？」、彼は礼儀正しく僕に尋ねた。

予定は何もないと僕は答えた。

「そういうことでありますれば、本日の朝の十時にお宅にお伺いするということでよろしいでしょうか？」

「結構です」

「それではまたあらためましてその折りに」と言って彼は電話を切った。

電話を切ったあとで、駅から家までの道筋を説明するのを忘れたことに気づいた。まあいいさ、と僕は思った。住所がわかっているんだから、その気になればなんとかここまで来ることはできるだろう。

「誰なの？」とクミコが訊《き》いた。

「本田さんの形見を配っている人だよ。今日の昼前に、わざわざうちにそれを届けてくれるんだって」

「へえ」と彼女は言った。そしてコーヒーを飲み、トーストにバターを塗った。「ずいぶん親切な人なのね」

「まったく」

「ねえ、本田さんのところにお線香でも上げにいったほうがいいんじゃないかしら。少なくともあなただけでも」

「そうだな。そのこともちょっと訊いてみるよ」と僕は言った。

出かける前にクミコは僕のところに来てワンピースの背中のジッパーをあげてくれと言った。体にぴったりとしたワンピースで、ジッパーをあげるのにちょっと手間がかかった。彼女の耳のうしろにとてもいい匂いがした。いかにも夏の朝にふさわしい匂いだ。「新しいオーデコロン？」と僕は尋ねた。でも彼女はそれには答えなかった。素早く腕時計に目をやると、手を伸ばして髪をととのえた。「さあもう行かなくちゃ」と彼女は言って、テーブルの上のハンドバッグを取った。

　クミコが仕事用に使っている四畳半の部屋を片づけて、ゴミをまとめているときに、僕は屑箱《くずばこ》の中に黄色いリボンが捨ててあるのに目をとめた。書き損じの二百字詰め原稿用紙やら、ダイレクト・メールやらの下からそのリボンはわずかに顔をのぞかせていた。僕がそのリボンに気づいたのは、それがとても鮮やかで艶《つや》のある黄色だったからだった。プレゼントの包装用に使われる種類のリボンだった。くるくると花びらのようにまとめられている。僕はそれを屑箱から取り出して眺めた。リボンと一緒に松屋デパートの包装紙も捨てられていた。包装紙の下にはクリスチャン・ディオールのマークのついた箱があった。箱を開けると、瓶《びん》のかたちにくぼみが開いていた。箱だけを見ても、その中身がかなり高価なものであることは推察できた。僕はその箱を持って、洗面所に行き、クミコの化粧品入れをあけてみた。そしてその中に、まだほとんど使われていないクリスチャン・ディオールのオーデコロンの瓶をみつけた。その瓶は箱のくぼみにぴったりと合致した。僕は瓶の金色の蓋《ふた》を開けてみた。それは、ついさっきクミコの耳のうしろにかいだのとまったく同じ匂いだった。

僕はソファーに腰をおろして朝の残りのコーヒーを飲みながら、頭の中を整理してみた。おそらく誰かがクミコにオーデコロンをプレゼントしたのだ。それもかなり高価なものだ。松屋デパートでそれを買って、プレゼント用のリボンをかけてもらったのだ。もしそれが男からのプレゼントだとしたら、その相手はクミコとかなり親しい間柄《あいだがら》のはずだった。それほど親しくない間柄の男は女性に（とくに既婚の女性に）オーデコロンなんて贈らない。もしそれが女友達からのプレゼントだとしたら……果して女というものは女友達にオーデコロンなんかを贈るものだろうか？　それは僕にはよくわからなかった。僕にわかっているのは、クミコがこの時期に他人からプレゼントをもらう理由は特に何もないということだけだった。彼女の誕生日は五月だった。我々の結婚記念日も五月だった。あるいは彼女が自分でオーデコロンを買って、包装用の綺麗《きれい》なリボンをつけてもらったのかもしれなかった。何のために？

僕はため息をついて天井を眺めた。

僕はクミコに直接質問してみるべきなのだろうか？　そのオーデコロンは誰かにもらったのか、と。すると彼女はこんな風に答えるかもしれない。ああ、それね、一緒に働いている女の子の個人的な用事をちょっと引き受けてあげたの。事情を話すと長くなるんだけど、彼女すごく困っていたから、好意でやってあげたの。そのお礼に彼女がプレゼントしてくれたのよ。なかなか素敵な匂いでしょう。結構高いのよ、これ。

オーケー、筋は通っている。それで話は終わってしまう。じゃあどうして僕はわざわざそんな質問をしなくてはいけないのだ。どうして僕はそんなことを気にしなくちゃいけないんだ。

でも何かが僕の頭にひっかかっていた。彼女はそのオーデコロンについて僕に何かひとこと言ってもよかったのだ。家に帰ってきて、自分の部屋に行って、ひとりでリボンをほどいて、包装紙をはがして、箱を開けて、それらをぜんぶ屑箱に捨てて、瓶を洗面所の化粧品入れにしまう暇があったら、「今日ね、同僚の女の子にこんなプレゼントもらったのよ」と僕に言ったってよかったのだ。でも彼女は黙っていた。わざわざ言うほどのことでもないと思ったのかもしれない。でも、もしそうだとしても、今となってはそれはやはり〈秘密〉という名の薄い衣をかぶせられてしまっていた。僕にはそのことが気になった。

僕は長いあいだぼんやりと天井を眺めていた。何かべつのことを考えようとしたのだが、何を考えても、頭がうまく働かなかった。僕はワンピースのジッパーを上げたときのクミコのつるりとした白い背中と、耳のうしろの匂いを思いだした。ひさしぶりに煙草《たばこ》を吸いたかった。煙草をくわえて先端に火をつけ、煙を肺の中に思い切り吸い込んでみたかった。そうすればもう少し気持ちが落ちつくんだろうな、と僕は思った。でも煙草はなかった。しかたなくレモンドロップを持ってきてなめた。

九時五十分に電話のベルが鳴った。たぶん間宮中尉だろうと僕は思った。僕の住んでいる家はかなりわかりにくいところにあるのだ。何度かここに来たことのある人間でさえ迷うことがあるくらいなのだ。でもそれは間宮中尉ではなかった。受話器から聞こえてきたのは、このあいだわけのわからない電話をかけてきた謎《なぞ》の女の声だった。

「こんにちは、お久しぶりね」とその女は言った。「どうだった、このあいだのは良かった？ 少しは感じてもらえたかしら。でもどうして途中で電話を切っちゃったの。いよいよこれからっていうところだったのに」


僕は一瞬彼女の言っているのが、加納クレタの登場した例の夢精の夢のことだと錯覚した。でもそれはもちろんべつの話だった。彼女はこの前のスパゲティーの電話のことを言っているのだ。

「ねえ、悪いけど今はちょっと忙しいんだよ」と僕は言った。「あと十分でお客が来るし、いろんな用意もしなくちゃならないんだ」

「失業中にしちゃ毎日ずいぶん忙しいのね」と彼女は皮肉っぽい声で言った。前と同じだ。すっと声の質が変わる。「スパゲティーをゆでたり、お客を待っていたり。でも大丈夫よ、十分あればじゅうぶんだわ。二人で十分間お話ししましょうよ、お客が来たらそこで切ればいいじゃない」


僕はそのまま黙って電話を切ってしまいたかった。でもそうすることができなかった。僕は妻のオーデコロンのことでまだ少し混乱していた。誰とでもいいから、何かを話したかったのだと思う。

「あなたが誰なのかわからない」、僕は電話機の隣にあった鉛筆を手に取って、指のあいだでぐるぐると回しながら言った。「僕はあなたのことを本当に知っているのかな」

「もちろんよ。私はあなたを知っているし、あなたは私を知っている。そんなことで嘘《うそ》はつかないわよ。私だってまったく知らない人に電話をかけるほど暇じゃないわよ。あなたの記憶にはきっと何か死角のようなものがあるのよ」

「僕にはよくわからないな、つまり――」

「ねえ、いい」と女は僕の言葉をぴしゃっと遮《さえぎ》るようにして言った。「あれこれと考えるのはやめなさいよ。あなたは私のことを知ってるし、私はあなたのことを知ってるのよ。大事なのは――ねえあなた、私あなたにとてもやさしくしてあげるわよ。でもあなたは何もしなくてもいいのよ。そういうのって素敵だと思わない。あなたが何もしなくてよくて、何も責任を持たなくてよくて、私がぜんぶやってあげるの。ぜんぶよ。どう、そういうのって凄《すご》いと思わない？　むずかしいことを考えるのはやめて、からっぽになればいいのよ。温かい春の昼下がりに柔らかな泥の中にごろんと寝ころんでいるみたいに」

僕は黙っていた。

「眠るように、夢を見るように、温かい泥の中に寝ころんでいるように……。奥さんのことも忘れなさい。失業のことも将来のことも忘れてしまいなさい。何もかも忘れてしまいなさい。私たちはみんな温かな泥の中からやってきたんだし、いつかまた温かな泥の中に戻っていくのよ。要するに――ねえ岡田さん、あなたはこの前いつ奥さんとセックスしたか覚えている？　それひょっとしてけっこう前のことじゃないかしら。そうね、二週間くらい前じゃない？」

「悪いけど、もう客が来るから」と僕は言った。

「うん、本当はもっと前なのよね。声の感じでわかるもの。ねえ、三週間ってところかな？」

僕は何も言わなかった。

「まあそれはそれでいいわよ」と女は言った。それはまるで、窓のブラインドにつもったほこりを小さな箒《ほうき》でさっさっと払っているような感じの声だった。「それは何といってもあなたと奥さんとのあいだの問題だものね。でも私はあなたの求めるものを何でもあげるわよ。そしてあなたはそれに対して何の責任も負わなくていいのよ、岡田さん。角をひとつ曲がるとね、そういう場所がちゃんとあるのよ。そこにはあなたの見たこともない世界が広がっているのよ。あなたには死角があるって言ったでしょう。あなたにはそのことがまだわかってないのよ」

僕は受話器を握ったままじっと黙っていた。

「あなたのまわりを見回してごらんなさい」と女は言った。「そして私に教えてちょうだい。そこには何があるの？　そこには何が見えるの？」

そのとき玄関のベルが鳴った。僕はほっとして、何も言わずに電話を切った。


間宮中尉は綺麗に頭が禿《は》げあがった背の高い老人で、金縁の眼鏡をかけていた。適度な肉体労働をしている人らしく、肌《はだ》は浅黒く、いかにも血色がよかった。余分な肉もついていなかった。両目の脇《わき》には深い皺《しわ》がきちんと三本ずつ刻み込まれて、まるでまぶしくて今にも目を細めようとしているかのような印象を与えていた。年齢はよく判別できないが、七十を越していることはたしかだろう。若い頃《ころ》はおそらくかなり頑《がん》健《けん》な人物であったのだろう。姿勢の良さや、無駄《むだ》のない身のこなしに、それがうかがわれた。物腰や物言いはきわめて丁寧だったが、そこには飾りのない確実さのようなものがあった。間宮中尉は自分の力でものごとを判断し、自分ひとりで責任を取ることに馴《な》れた人物であるように見えた。彼は特徴のない淡いグレイの背広に、白いシャツを着て、グレイと黒の縞模様《しまもよう》のネクタイをしめていた。そのいかにも律儀《りちぎ》そうな背広は七月の蒸し暑い朝に着るにはいささか生地が厚すぎるように見えたが、彼は汗ひとつ浮かべていなかった。そして左手が義手だった。彼はその義手の上に、背広の色と同じような淡いグレイの薄手の手袋をはめていた。日焼けした毛深い右手の甲に比べると、そのグレイの手袋に包まれた手は、必要以上に冷たく無機的に見えた。

僕は居間のソファーに彼を座らせ、お茶を出した。

彼は名刺を持たないことを詫《わ》びた。「広島の田舎の県立高校で社会科の教師をしておったのですが、定年で退職いたしまして、そのあとは何もしておりません。いくらか畑をもっておりますので、半ば趣味で簡単な農作をしておるだけです。そんなわけで、名刺というようなものも持ち合わせませんで、失礼いたします」

僕もやはり名刺を持たなかった。

「失礼ですが、岡田様はおいくつでいらっしゃいますでしょうか？」

「三十です」と僕は言った。

彼はうなずいた。そしてお茶を飲んだ。僕が三十であることが彼にどのような感想を与えたのかはよくわからなかった。「しかし非常に閑静なお宅にお住まいでいらっしゃいますな」と彼は話題を変えるように言った。

僕はその家を安い家賃で叔父に借りている話をした。普通なら僕らの収入ではこの半分の大きさの家にだって住めないのだ、と僕は言った。彼はうなずきながらしばらく家の中を遠慮がちに見回していた。僕も同じようにまわりを見回してみた。あなたいいいいいいいいいいいいいのまわりを見回してごらんなさい、と女の声が言った。あらためて見回してみると、そこにはなにかよそよそしい空気が漂っているように感じられた。

「東京にはこれで都合二週間ばかり滞在しております」と間宮中尉は言った。「しかし岡田様が今回の形見わけの最後の方でありまして、これで私も安心して広島に帰ることができます」

「もし本田さんのお宅に伺ってお線香だけでも上げることができればと思うのですが」

「そのお志はまことに有り難いのですが、本田さんの故郷は北海道の旭川でして、墓所もそちらの方にあるのです。今回ご家族が旭川から上京されて目黒のお宅にあった荷物を全部整理し、既に引き払われたのです」

「なるほど」と僕は言った。「じゃあ本田さんは家族とはなれて一人で東京で住んでおられたわけなんですね」

「はい。旭川に住んでおられるご長男が、年寄りをひとりで東京に放《ほう》っておくのは心配だし外聞も悪いから、こっちに来て一緒に暮らすようにと誘っておったらしいのですが、ご本人がどうしても嫌《いや》だと申されまして」

「お子さんがいらっしゃったんですか」と僕はちょっと驚いて言った。なんとなく本田さんは天涯《てんがい》孤独の身であるような気がしていたのだ。「じゃあ奥さんはもうお亡《な》くなりになっていたんですか？」

「それがいささかこみいった話でありまして、本田さんの奥さんは実は、戦後間もなく他の男と心中して亡くなってしまったのです。昭和二五年か二六年のことでありましたか。そのあたりの詳しい経緯は私も知りません。本田さんも詳しいことは喋《しゃべ》らなかったですし、私もいちいち訊くわけにはいきません」

僕はうなずいた。

「本田さんはその後男手ひとつで息子ひとり娘ひとりを育て上げられまして、お子さんがたがそれぞれに独立されたあと、ひとりで東京に出てきて、あなたもご存じのとおりの占いのような仕事を始められたわけです」

「旭川ではどのようなお仕事をなさっておられたんでしょうか」

「お兄さんと一緒に印刷所を共同経営しておられました」

僕は作業着を着た本田さんが印刷機械の前に立って、刷りだしを点検しているところを想像してみた。でも僕にとっての本田さんとは、うす汚れた服を着て、腰に寝巻の帯のようなものを巻いて、夏も冬もこたつの前に座ってぜいちくをいじっているうすよごれた老人だった。

間宮中尉《ちゅうい》はそれから、手に持っていた風呂敷《ふろしき》包みを片手で器用にほどいて、小さな菓子折のような恰好《かっこう》のものを取り出した。それはハトロン紙でくるまれ、紐《ひも》で幾重にもしっかり結んであった。彼はそれをテーブルの上に置いて、僕の方に押しやった。

「これが、私が本田さんから岡田様あてにお預かりした形見の品であります」と間宮中尉は言った。

僕はそれを受け取って、手に取ってみた。それはほとんど重みというものを持たなかった。その中に何が入っているのか、見当のつけようもなかった。

「今ここで開けてみてよろしいのでしょうか？」

間宮中尉は首を振った。「いや、申し訳ありませんが、どうぞお一人になられたときに開けられるようにという、故人の指示でありました」

僕はうなずいて、その包みをテーブルの上に戻した。

「実を申しますと」と間宮中尉は切りだした。「私が本田さんの手紙を受け取ったのは、彼が亡くなる実に一日前のことでした。その手紙にはもうすぐ自分は死ぬであろうと書いてありました。死ぬことは何も怖くはない。これが自分の天命である。天命には従うのみである。しかし私にはやり残したことがある。実は自分の家の押入れにはこうこう、こういう品が入っておる。それは自分がいろいろな人々に伝え残そうと常々考えていたものである。しかし私にはそれを果たすことができそうにない。ついては貴方《あなた》の手を借りて別紙に書いてあるとおりに形見分けをすることができればと思う。厚かましいお願いであることはじゅうじゅう承知のうえである。しかしこれを私の末期《まつご》の願いだと思って、なんとかお骨折りをいただくことはできないだろうか――そう書いてありました。私は驚きまして――というのは私は本田さんとはもう何年も、六、七年になりますか、音信が途絶えておったところに突然このような手紙を受け取ったからなのですが――すぐに本田さんあてに手紙をしたためました。しかし入れ違いのようにして届いたのは、本田さんが亡くなられたというご子息からの通知でありました」

彼は湯飲みを手に取り、茶を一口飲んだ。

「あの人は、自分がいつ死ぬかを承知しておられた。きっと私なんぞには及びもつかん境地に達しておられたのでしょう。あなたが葉書に書いてこられたように、あの人にはたしかに人の心を揺るがせるものがあった。私は昭和一三年の春にあの人に初めて出会ったときからそれを感じておりました」

「間宮さんはノモンハンの戦争で本田さんと同じ部隊にいらっしゃったのですか？」

「いや」、間宮中尉はそう言ってから軽く唇《くちびる》を噛《か》んだ。「そうではありません。私と彼とは別の部隊、別の師団に所属しておりました。私たちが行動をともにしたのは、ノモンハンの戦争に先立つある小規模な作戦行動の際でありました。本田伍長《ごちょう》はその後ノモンハンでの戦闘で負傷し、本国に送還されました。私の方はノモンハンの戦闘には参加せんかったのです。私が――」と言って間宮中尉は手袋をはめた左手を上に上げた、「この左手をなくしましたのは、昭和二〇年の八月のソ連軍侵攻の時でした。対戦車戦の最中に肩に重機関銃の弾丸を受けまして、一時的に失神したところをソ連軍戦車のキャタピラに踏みつぶされたのです。それから私はソ連軍の捕虜になりまして、チタの病院で手当てを受けたのちにシベリアの収容所に送られ、結局昭和二四年までそこに抑留されておりました。昭和一二年に満州に送られて以来、ぜんぶで十二年間大陸におったわけです。そのあいだただの一度も内地の土を踏むことなくです。私の親族のものは私がソ連軍との戦闘で戦死したと思っておりました。故郷の墓地には私の墓がありました。日本を出る前に、漠然《ばくぜん》とではありますが約束をかわした女性もありましたが、その人も既に他の男と結婚しておりました。しょうがないです。十二年といえば長い歳月です」

僕はうなずいた。

「岡田さんのようなお若いかたにはこんな昔の話はつまらんでしょう」と彼は言った。「ただひとつ私の申し上げたいのは、私たちは、あなたと同じようなごく普通の青年であったということです。私は軍人になりたいと思ったことなぞただの一度もなかった。私は教師になりたかったのです。しかし大学を出てすぐに召集を受け、半ば強制的に幹部候補生になり、そのまま内地には戻されることなく終わってしまいました。私の人生なぞはかない夢のようなものです」、間宮中尉はそのまましばらく口をつぐんでいた。

「もしよかったら、あなたと本田さんとが知り合われたときのお話を聞かせていただくわけにはいかないでしょうか」と僕は言ってみた。僕は本当に知りたかったのだ。本田さんという人がかつてはどのような人物であったのか。

間宮中尉は両手をきちんと膝《ひざ》の上に置いたまま、しばらく何かを考えていた。どうしようかと迷っていたわけではない。ただ何かを考えていたのだ。

「長い話になるかもしれませんが」

「けっこうです」と僕は言った。

「この話はこれまで誰にもしたことがありません」と彼は言った。「本田さんも誰にも話したことがないはずです。何故《なぜ》なら私たちは……このことだけは誰にも話さんことにしようと決めたからです。しかし本田さんも亡くなってしまわれた。残ったのは私ひとりです。話してももう誰にも迷惑はかからんでしょう」

そして間宮中尉は話しはじめた。

⑫ 間宮中尉の長い話・1

「私が満州に渡ったのは昭和一二年の初めのことでありました」と間宮中尉は話し始めた。「私は少尉として新京の関東軍参謀本部に着任いたしました。私は大学で地理を専攻しておりましたので、地図を専門とする兵要地誌班という部署に所属することになりました。私にとってはまことにありがたいことでした。何故なら私の命じられた勤務は、正直に申しまして、軍の勤務としてはかなり楽な部類に属していたからです。

それに加えて、当時の満州国内の事情は比較的平穏と申しますか、まずまず安定したものでした。日支事変の勃発《ぼっぱつ》によって、戦争の舞台は既に満州から中国国内へと移っていましたし、戦闘に係わる部隊も関東軍から支那《しな》派遣軍へと変わっておりました。反日ゲリラの掃討戦もまだ続いてはいましたけれど、それも比較的奥地でのことで、全体としては一応の山は越しておりました。関東軍はその強力な軍隊を満州国に置いて、北辺に睨《にら》みをきかせながら、独立間もない満州国の安定と治安維持を図っていました。

平穏とは言いましてももちろん戦時ですから、演習はしょっちゅうやっておりました。しかし私はそういったものにも参加する必要がありませんでした。これも有り難いことでした。零下四十度、五十度にもなる冬の極寒の中で行われる演習は、演習とはいえ下手をすれば命を落としかねないくらい厳しいものだったからです。ひとつ演習があるごとに、何百という数の兵隊が凍傷を負って、入院したり温泉に治療に送られたりしたものでした。新京の街は、もちろん大都会と呼べるようなたいそうなものではありませんが、それでも異国情緒のある面白い場所でしたし、遊ぼうと思えばけっこう遊ぶこともできました。私たち新任の独身将校たちは兵営ではなく、下宿屋のようなところに集まって暮らしていました。それはむしろ学生生活の延長のような気楽なものでした。このままずっと平和な日々が続いて、何事もなく兵役が終わってしまえばいうこともないんだがな、と私は気楽に考えていました。

もちろんそれは見せかけの平和に過ぎませんでした。その日溜《ひだ》まりのすぐ外では熾《し》烈《れつ》な戦争が続いていました。中国の戦争が抜き差しのならない泥沼《どろぬま》と化すであろうことは、大抵の日本人にはわかっていたと思います。まともな頭を持つ日本人なら、ということです。たとえいくつかの局地的な戦闘に勝ったとしても、あんな大きな国を日本が長期にわたって占領統治できるわけがないのです。そんなことは冷静に考えればわかることです。案の定戦いが長びくにつれて、戦死者や負傷者の数はどんどん増えていきました。そして対米関係はまるで坂道を転げ落ちるみたいに急激に悪化していきました。内地にいても、戦争の影が日いちにちとその濃さを増していることがわかりました。昭和一二、三年というのはそういう暗い時代だったのです。しかし新京で呑気《のんき》な将校暮らしを送っていると、正直に申し上げまして、戦争なんぞいったいどこでやっているんだという感じがしたものです。我々は毎夜のように酒を飲み、みんなで馬鹿話《ばかばなし》をし、白系ロシア娘のいるカフェに行って遊んだりもしました。

しかしある日、昭和一三年四月の終わり頃でしたが、私は参謀本部の上官に呼ばれ、山本という平服の男に引き合わされました。髪が短く、口髭《くちひげ》をはやした男でした。背はそれほど高くありません。年齢は三十代の半ばくらいだったと思います。首筋には刃物で切られたような傷がついていました。上官はこう言いました。山本さんは民間人で、軍に依頼されて満州国内に住むモンゴル人の生活・風俗を調査しておられる。そして今回はホロンバイル草原の外蒙古《もうこ》との国境地帯の調査をなさることになっている。軍はその調査に数名の警護の兵を同行させる。貴官もその一員として役にあたってもらうことになる。でも私はその話を信じませんでした。山本という男は、平服こそ着ていたもののどうみても職業軍人だったからです。目つきや喋り方や姿勢を見ればそれはわかります。高級将校、それもおそらく情報関係だろうと私は踏みました。おそらく彼は任務の性格上、軍人であることを明らかにできないのです。そこには何かしら不吉な予感のようなものが漂っていました。

山本に同行する兵の数は私を含めて全部で三人でした。警護の役にしてはあまりにも少なすぎますが、兵の数を多くすると、そのぶん国境付近に展開する外蒙古の兵隊の注意を引くことになります。少数精鋭と言いたいところですが、実際にはそうではありませんでした。唯一《ゆいいつ》の将校である私からして、実戦経験がまるでなかったからです。戦力として計算できるのは、浜野という軍曹《ぐんそう》だけでした。浜野は参謀本部付きの兵隊で、私もよく知っている男でした。いわゆるタフなたたき上げの下士官です。中国での戦闘で勲功も立てました。大男で豪胆で、いざという場で信頼できる男でした。しかしもう一人の本田という伍長がどのような理由でそこに加えられたのか、私にはわかりませんでした。本田は私と同じように内地から送られてきてまだ間がありませんでしたし、もちろん実戦経験もありません。一見しておとなしそうな無口な男ですし、戦闘になった時に格別役に立ちそうにも見えませんでした。それに彼は第七師団に所属していました。つまりわざわざ今回の使命のために参謀本部が、第七師団から抜擢《ばってき》して彼を呼び寄せたわけです。それだけの価値のある兵隊というわけです。その理由が判明したのはずっとあとのことでした。

私がその警備兵の指揮将校として選ばれたのは、私が主として満州国西部国境、ハルハ河流域方面の地誌を担当していたからでした。その方面の地図の充実をはかるのが私の主な仕事でした。何度か飛行機でそのあたりの上空を飛んだこともありました。だから私が一緒に行けば何かと便利だろうというわけです。そしてもうひとつ、私に与えられた任務は、警護の傍《かたわ》ら当該地域の地誌情報をより細かく収集し、地図の精度の向上に寄与することでした。いわば一挙両得ということです。私たちがそのときに持っていたホロンバイル草原の外蒙古との国境地帯の地図は、正直に申し上げてかなりお粗末なものでした。清国《しんこく》時代の地図にちょっと手を加えた程度のものです。関東軍は満州建国以来何度も調査測量を行い、正確な地図を作ろうとはしていたのですが、いかんせん国土が広すぎました。それに加えて満州西部は砂漠みたいな荒野が果てしもなく広がっているところですから、国境線なんぞあってなきがごときものです。それにもともとそこに住んでいるのはモンゴル人の遊牧民でした。彼らは何千年にもわたって国境線など必要ともしなかったし、そういう概念そのものを持たなかったのです。

そして政治的な事情も正確な地図の製作を遅らせておりました。と申しますのは、こちらが勝手に国境線を引いて正式な地図を作ってしまいますと、それがもとで大がかりな紛争が起こりかねなかったからです。満州国と国境を接するソ連と外蒙古は、国境線の侵犯に対しては非常に神経質でしたし、それまでにも何度か国境線を巡って激しい戦闘行為がありました。その時点では、陸軍はソ連との戦争が勃発するのを歓迎していませんでした。何故なら陸軍は中国での戦争に主力を投入しており、大がかりな対ソ連戦に割くような兵力の余裕はまったくなかったからです。師団の数も足りなければ、戦車、重砲、航空機の数も足りませんでした。そして建国以来日が浅い満州国の国体をとりあえず安定させるのが先決でした。北部、北西部の国境線を明確に定めるのはそのあとでいいというのが軍の考えかたでした。とりあえずは不明確なままにしておいて時間を稼《かせ》ごうという魂胆です。強気で鳴る関東軍も大筋においてはその見解を尊重して、静観の構えをとっておりました。そんなわけですべては曖昧《あいまい》なままに放《ほう》り出されていました。

しかし思惑はどうであれ、もし何かの拍子で戦争が起きてしまったら（実際にノモンハンでその翌年に起きてしまったわけですが)、我々は地図なしでは戦えません。それも普通の民間の地図ではなく、戦闘用の専門的な地図が必要なのです。どこにどのような陣地を構築すればいいか、重砲はどこに設置するのが最も効果的か、歩兵部隊が徒歩でそこに到達するには何日かかるか、飲料水はどこで手に入れればいいのか、馬匹《ばひつ》の糧食はどれくらい必要なのか、そういう細かい情報を盛り込んだ地図が戦争には必要なのです。そのような地図なしに近代戦を戦うことは不可能です。従って我々の仕事は情報部の仕事とかさなりあう部分が多く、関東軍情報部やハイラルにある特務機関と頻繁《ひんぱん》に情報交換を行っていました。お互いの顔触れもだいたいわかっています。しかし山本という男を見たのはそれが初めてでした。

五日間の準備ののちに我々は汽車で新京からハイラルに向かいました。そしてそこからトラックに乗ってカンジュル廟《びょう》というラマ教の寺のある場所を経て、ハルハ河の近くにある満州国軍の国境監視所に着きました。正確な数字はよく覚えておりませんが、距離にして三百から三百五十キロくらいはあったと思います。見渡す限り本当に何もないがらんとした荒野でした。私は仕事柄《しごとがら》トラックの上からずっと地図と地形を照合していましたが、しかし照合するも何も、そこには目印と呼べるようなものはひとつとしてありません。ただぼさぼさとした草の繁《しげ》った低い丘陵が続き、地平線がどこまでも広がり、空に雲が浮かんでいるだけでした。地図の上で自分たちがいったいどこにいるのかなんて、正確に知るべくもありません。進んだ時間を計算して、だいたいこのへんだろうと推測するしかないわけです。

そのような荒涼とした風景の中を黙々と進んでいると、ときおり自分という人間がまとまりを失って、だんだんほどけていくような錯覚に襲われることがあります。まわりの空間があまりにも広すぎるので、自分という存在のバランスを摑《つか》んでいることがむずかしくなってくるのです。おわかりになりますでしょうか？　風景と一緒に意識だけがどんどん膨らんでいって、拡散していって、それを自分の肉体に繫《つな》ぎとめておくことができなくなってしまうのです。それがモンゴルの平原の真ん中で私の感じたことでした。何という広大なところだろうと私は思いました。それは荒野というよりはむしろ海に近いものであるように私には感じられました。太陽が東の地平線から上り、ゆっくりと中空を横切り、そして西の地平線に沈んでいきました。私たちのまわりで目に見えて変化するものといえば、ただそれだけでした。その動きの中には何かしら巨大な、宇宙的な慈《いつく》しみとでもいうべきものが感じられました。

満州国軍の監視所で、我々はトラックを下りて馬に乗り換えました。そこには私たちが乗る四頭の馬の他に、食糧や水や装備を積んだ二頭の馬が用意されていました。

私たちの装備は比較的軽便なものでした。私と山本という男とは拳銃《けんじゅう》だけを持っていました。浜野と本田とは拳銃の他に三八式歩兵銃を持ち、それぞれに二個の手榴弾《しゅりゅうだん》を持っていました。

私たちを指揮するのは、実質的には山本でした。彼がすべてを決め、私たちに指示を与えました。彼は表向きには民間人ということになっていましたから、軍の規則から言えば私が指揮官として行動しなくてはならないわけですが、山本の指揮下に入ることについては誰も疑義は差し挟《はさ》みませんでした。何故なら彼は誰が見ても指揮を取るに相応《ふさわ》しい男でしたし、私は階級こそ少尉《しょうい》ですが、実際には実戦経験のない事務屋に過ぎなかったからです。兵隊というのはそういう実力は正確に見抜くものですし、力のあるものに自然に従うものです。それに加えて出発前に私は上官から山本の指示を絶対的に尊重するようにと言い含められてきました。要するに超法規的に山本の命令に従えということです。

私たちはハルハ河に出て、そこから河沿いに南に下りました。雪解けで河の水量は増していました。河には大きな魚の姿も見えました。時折、遠くの方に狼《おおかみ》の姿を見かけることもありました。純粋な狼ではなくて、野犬との混血種かもしれません。しかしどちらにせよ危険なことに変わりはありません。夜になると私たちは狼から馬たちを守るために歩哨《ほしょう》を立てなくてはなりませんでした。鳥の姿も多く見かけました。その多くはシベリアに戻っていく渡り鳥のようでした。私と山本とは地勢についていろいろと話しあいました。私たちは自分たちが辿《たど》っているおおよその道筋を地図で確認しながら、目についた細かい情報をひとつひとつノートに書き込んでいきました。しかし私とのそういった専門的な情報の交換を別にすれば、山本はほとんど口もききませんでした。彼は黙々と馬を前に進め、ひとり離れて食事をし、何も言わずに眠りました。私の受けた印象では、彼がこのあたりに来たのは初めてではないようでした。彼はそのあたりの地形や方向について、驚くほど的確な知識を持っていました。

二日間何事もなく南に向けて進んだところで、山本は私を呼んで、明日の未明にハルハ河を越えることになると言いました。私は仰天しました。何故ならハルハ河の対岸は外蒙古の領土だからです。私たちが今いるハルハ河右岸もたしかに危険な国境紛争地域です。外蒙古はそこを自国の領土であると主張し、満州国は満州国でそこを自国の領土だと主張し、しょっちゅう武力衝突が起きています。しかし我々が仮にそこで外蒙軍に捕捉《ほそく》されたとしても、右岸にいるかぎり、これはいわば両国の見解の相違によるものですから、一応の言い訳はたちます。また今の雪解けの時期にこちらに渡《と》河《か》してくる外蒙軍部隊はあまりいませんから、彼らと遭遇する危険は現実的に少ないのです。しかしハルハ河左岸となると、これは話が別です。そこには確実に外蒙軍のパトロール隊がいます。私たちがそこで捕まれば、言い訳のしようがありません。明らかに国境侵犯ですからへたをすると政治問題になります。その場で撃ち殺されても文句はいえません。それに私は国境を越えていいという上官の指示を受けておりません。山本の指示に従えという指示は受けております。しかしそこに国境侵犯のような重大な行為が含まれるのかどうか、私には即断できませんでした。第二に、この時期のハルハ河はさきほども申しましたようにかなり増水していますし、渡河するには流れの勢いも強すぎます。それに加えて雪解けの水ですから、おそろしく冷たいはずです。遊牧民たちさえもこの時期にはあまり渡河したがりません。彼らが渡河するのはだいたいにおいて結氷期か、あるいはもう少し流れが落ちついて水温も上がった夏です。

私がそう言うと、山本はしばらくじっと私の顔を見ていました。それから何度かうなずきました。『国境侵犯について君が心配するのはよくわかる』、彼は私に言い聞かせるようにそう言いました。『兵を預かっている指揮将校だから、君が責任の所在を云々《うんぬん》するのは当然の話だ。部下の命を意味もなく危険に晒《さら》すのは君の本意ではなかろう。しかしそのことはどうか私にまかせてもらいたい。本件に関しては私がすべての責任を負う。私の立場として君にあまり多くのことを教えるわけにはいかんのだが、軍のいちばん上にまでこの話は通っている。渡河に関しては技術的には問題はない。渡河可能な隠された地点がちゃんとあるのだ。外蒙軍はそういうポイントをいくつか作って確保しているのだ。そのことは君も知っているだろう。私は前にも何度かそこを越えている。去年の同じ時期にも、同じ場所から外蒙古に入った。心配しなくてもいい』

たしかにこのあたりの地理に精通した外蒙軍は、この雪解けの時期にも、それほど数多くはありませんが何度かはハルハ河右岸に戦闘部隊を送り込んでいました。ハルハ河には彼らがその気になれば部隊単位で渡河できる地点がちゃんと存在しているのです。そして彼らがそこを渡河できるのなら、山本という男にも渡河できるはずですし、我々が渡河することも不可能ではないでしょう。

それは外蒙軍が作ったと思われる秘密の渡河地点でした。巧妙にカモフラージュされて、一目では渡河地点とはわからぬようになっていました。浅瀬と浅瀬のあいだには板の橋が水中に渡され、急流に流されぬようにロープが張ってありました。もう少し水かさが減れば、兵員輸送車や装甲車や戦車が楽にここを渡れるのは明らかでした。水中の橋ですから、航空機の偵察《ていさつ》でもまず所在がみつけられません。私たちはそのロープを摑んで流れを横切りました。まず山本が単独で渡河し、外蒙軍のパトロールがいないことを確認してから、私たちが続きました。脚の感覚がなくなってしまうほど冷たい水でしたが、それでもなんとか私たちは馬とともにハルハ河の左岸に立つことができました。左岸は右岸より土地がずっと高く、右岸に広がる砂漠《さばく》が遥《はる》か向こうまで見渡せました。それもノモンハンの戦闘でソ連軍が終始優位に立つことのできた理由のひとつでした。土地の高度差は大砲の着弾精度にも大きな差を生み出すのです。それはそれとして、河のこちらとあちらとではずいぶん眺《なが》めが違うものだなと思ったことを覚えております。氷のような河の水に濡《ぬ》れた体は長いあいだ神経が麻痺《まひ》しておりました。しばらくは声を出すことさえままならないほどでした。しかし自分たちがまったくの敵地にいるのだと思うと、正直に言って、緊張で寒さも忘れてしまうほどでした。

それから我々は河沿いに南下しました。ハルハ河は私たちの左手の眼下を、蛇《へび》のように曲がりくねりながら流れていました。少しあとで山本は私たちに、みんな階級章を外しておいた方がいいと言いました。私たちは言われたとおりにしました。敵に捕まったときに階級が判明するとまずいのだろうと私は思いました。同じ理由で私は将校用の長靴《ちょうか》を脱いでゲートルに代えました。

ハルハ河を渡河したその夕方、私たちが野営の準備をしているところにひとりの男がやってきました。男はモンゴル人でした。モンゴル人たちは普通より高い鞍《くら》をつけて馬に乗るので、遠くからでも見分けることができます。浜野軍曹が彼の姿を認めて小銃を構えると、山本は浜野に向かって『撃つな』と言いました。浜野は何も言わずにゆっくりと小銃を下ろしました。私たち四人はじっとそこに立ったまま、その男が馬に乗って近づいてくるのを待っていました。男は背中にソビエト製の小銃をかけ、腰にはモーゼル拳銃を差していました。顔は髭だらけで、耳あてのついた帽子をかぶっていました。男は遊牧民のような汚い服を着ていましたが、職業軍人であることは身のこなしですぐにわかりました。

男は馬から下りると、山本に向かって話しかけました。それはモンゴル語であったと思います。私はロシア語も中国語もある程度は理解できましたが、彼の言葉はどちらでもありませんでした。だからまず間違いなくモンゴル語であったと思います。山本も男に対してモンゴル語で話しかけました。それで私はこの男はやはり情報部の将校なのだという確信を持ちました。

『間宮少尉、私はこの男と一緒に出かける』と山本は言いました。『どれくらい時間がかかるかはわからんが、ここに待機していて欲しい。言うまでもないことだとは思うが、歩哨は常に立てるように。三十六時間たっても戻らなかったら、そのよしを司令部に報告してもらいたい。誰か一人を渡河させて満軍の監視所に送れ』。わかりました、と私は答えました。山本は馬に乗り、モンゴル人と二人で西に向かって走り去りました。

私たちは三人で野営の準備をし、簡単な夕飯を食べました。飯を炊《た》くことも、焚《た》き火をすることもできませんでした。低い砂丘以外、見渡すかぎり遮蔽物《しゃへいぶつ》ひとつない曠《こう》野《や》ですから、煙をだせばあっというまに敵に捕捉されてしまいます。私たちは砂丘の陰に低くテントを張り、隠れるようにして乾パンを齧《かじ》り、冷たい肉の缶詰《かんづめ》を食べました。太陽が地平線に落ちると、たちまちにして闇《やみ》があたりを覆《おお》い、空には数え切れぬほどの星が輝きました。ハルハ河の流れの轟々《ごうごう》という音に混じって、どこかで狼の鳴く声が聞こえました。私たちは砂の上に横になって昼間の疲れを休めていました。

『少尉殿』と浜野軍曹が私に言いました。『どうも剣呑《けんのん》な成り行きでありますな』

『そうだな』と私は答えました。

その頃には私と浜野軍曹と本田伍長《ごちょう》とはお互いずいぶん気心が知れるようになっていました。私は軍歴のほとんどない新任の将校ですから、本来なら浜野のような歴戦の下士官からは煙たがられたり馬鹿《ばか》にされたりするものなのですが、彼と私の場合にはそういうことはありませんでした。私は大学で専門教育を受けた将校でしたから、彼も私には一種の敬意のようなものを抱いておりましたし、私も階級にこだわることなく、彼の実戦経験と現実的な判断力に一目置くように心がけていました。それに加えて彼は山口の出身で、私は山口との県境に近い広島の出身でしたので、自然と話も合い、親しみも生まれました。彼は私に中国での戦争の話をしてくれました。彼は小学校を出ただけの、根っからの兵隊でしたが、中国大陸でのいつ果てるともしれない厄介《やっかい》な戦争には彼なりに疑問を抱いておりましたし、その気持ちを正直に打ち明けてくれました。自分は兵隊だから戦争をするのはかまわんのです、と彼は言いました。国のために死ぬのもかまわんのです。それが私の商売ですから。しかし私たちが今ここでやっている戦争は、どう考えてもまともな戦争じゃありませんよ、少尉殿。それは戦線があって、敵に正面から決戦を挑《いど》むというようなきちんとした戦争じゃないのです。私たちは前進します。敵はほとんど戦わずに逃げます。そして敗走する中国兵は軍服を脱いで民衆の中にもぐり込んでしまいます。そうなると誰が敵なのか、私たちにはそれさえもわからんのです。だから私たちは匪《ひ》賊《ぞく》狩り、残兵狩りと称して多くの罪もない人々を殺し、食糧を略奪します。戦線がどんどん前に進んでいくのに、補給が追いつかんから、私たちは略奪するしかないのです。捕虜を収容する場所も彼らのための食糧もないから、殺さざるを得んのです。間違ったことです。南京《ナンキン》あたりじゃずいぶんひどいことをしましたよ。うちの部隊でもやりました。何十人も井戸に放り込んで、上から手榴弾を何発か投げ込むんです。その他口では言えんようなこともやりました。少尉殿、この戦争には大義もなんにもありゃしませんぜ。こいつはただの殺しあいです。そして踏みつけられるのは、結局のところ貧しい農民たちです。彼らには思想も何もないんです。国民党も張学良《ちようがくりよう》も八路軍《はちろぐん》も日本軍も何もないのです。彼ら飯さえ食えれば何だっていいんです。私は貧乏な漁師の子だから、貧しい百姓の気持ちはようわかります。庶民というのは朝から晩まであくせく働いて、それでも食べていくのがやっとというだけしか稼げんのです、少尉殿。そういう人々を意味もなくかたっぱしから殺すのが日本の為《ため》になるとはどうしても思えんのです。

それに比べると、本田伍長は自分について多くを語ろうとはしませんでした。だいたいが無口な男で、いつも自分からは口を出さずに我々の話に耳を傾けておりました。しかし無口とはいっても、陰気であったというのではありません。自分から進んでは喋《しゃべ》らなかったというだけです。それだけにたしかに、この男は何を考えているのかよくわからないなと思うようなことはありましたけれど、それも不快な感じではありません。そのような彼の静けさの中には、むしろ人の心を安らげるものがありました。

悠揚《ゆうよう》せまらざると申しますか、何があっても顔色が変わるということがほとんどないのです。彼は旭川の出身で、父親はそこで小さな印刷所を経営しているということでした。年は私より二つ下で、中学を出てから兄と共に父親の仕事を手伝っていました。男ばかりの三人兄弟の末でしたが、いちばん上の兄は二年前に中国で戦死していました。本を読むのが好きで、ちょっと自由になる時間があると、その辺に寝ころんで仏教関係の本を読んでおりました。

申し上げましたように、本田には実戦経験がなく、内地で一年教育を受けただけでしたが、それでも兵隊としては優秀な男でした。どの小隊の中にも必ずひとりかふたりはこういう兵隊がいます。彼らは我慢強く、不平ひとつ言わず、義務をひとつひとつきちんと果たします。体力もあるし、勘も良いのです。教えられたことはすぐに呑《の》み込み、それを的確に応用することもできます。彼はそういう兵隊の一人でした。また騎兵として訓練を受けてきただけあって、我々の中ではいちばん馬に詳しく、私たちの六頭の馬の面倒をよく見ました。それも並大抵の面倒の見かたではありません。私たちは彼には馬の気持ちが細かいところまで全部わかるのではないかと思ったくらいでした。浜野軍曹《ぐんそう》も本田伍長の能力をすぐに認め、安心していろんなことを任せるようになりました。

そんなわけで、寄せ集めの隊にしては、私たちの意思の疎通《そつう》はずいぶん円滑であったと思います。正規の分隊ではありませんから、そのぶん杓子《しゃくし》定規な堅苦しさがなかったわけです。まあ言うなれば、袖触《そでふ》れ合うも……といった感じの気楽さですな。ですから浜野軍曹も私には、下士官と将校という枠内《わくない》には収まらない、かなり腹を割った話ができたわけです。

『少尉殿はあの山本という男をどう思われますか？』と浜野は訊《き》きました。

『おそらく特務機関だな』と私は言いました。『モンゴル語を喋れるからにはかなりの専門家だ。このあたりの細かい事情もよく知っている』

『私もそう思います。最初は軍の偉いさんに取り入っている一旗組の馬賊か大陸浪人かとも思ったのですが、そうじゃありませんね。あの連中のことなら私はよく知っています。あいつらはあることないことただべらべら喋るだけです。そしてすぐに拳銃の曲撃ちか何かをやりたがるんです。しかしあの山本という男にはそういう軽薄なところがありません。肝はかなり太そうです。上級将校のにおいがします。私はちょっと耳に挟んだんですが、軍は今度興安軍あがりの蒙古《もうこ》人を集めた謀略部隊を作ろうとしているらしい。そしてそのために謀略専門の日系軍官を何人か呼んだようです。あるいはそれと関係があるかもしれませんね』

本田伍長は少し離れたところで小銃を持って監視にあたっておりました。私はいつでも手に取れるようにブローニングを手近な地面の上に置いていました。浜野軍曹はゲートルを解いて、足を揉《も》んでいました。

『あくまで私の推測ですが』と浜野は続けました。『ひょっとしてあの蒙古人は日本軍に内通を図っている反ソ派の外蒙軍の将校ではないでしょうか』

『あり得ることだな』と私は言いました。『しかしよそではなるべく余計なことは言わんほうがいいぞ。首が飛ぶかもしれんからな』

『私だってそれほど馬鹿じゃありません。ここだから言ってるんです』、にやにや笑いながら浜野はそう言いました。それから真顔になりました。『しかし少尉殿、もしそうだとしたら、こいつは本当に剣呑ですぜ。ひょっとしたら戦争になりかねませんからね』

私はうなずきました。外蒙古は独立国とはいえ、完全にソ連に首ねっこを抑えられた衛星国家のようなものです。その点では日本軍に実権を握られた満州国とまあどっこいどっこいです。しかしその中で反ソ連派の暗躍があることはよく知られていました。それまでにも、反ソ連派は満州国の日本軍と内通して何度か反乱を起こしていました。反乱分子の中核はソ連軍人の横暴に反感を抱く蒙古人軍人と、強引な農業集中化に反抗する地主階級と、十万を越すラマ教の僧侶《そうりょ》たちでした。そのような反ソ連派が外部勢力として頼ることのできたのは、満州に駐在する日本軍だけでした。また彼らには、ロシア人よりは、同じアジア人である日本人の方に親しみが持てたようでした。前年の昭和一二年には首都のウランバートルで大規模な反乱計画が露顕し、大粛清が行われました。何千という数の軍人やラマ教の僧侶が、日本軍と内通した反革命分子として大量処刑されましたが、それでもまだ反ソ連感情は消えやらず様々なところでくすぶっておりました。ですから日本の情報将校がハルハ河を越えて、こっそりと反ソ連派の外蒙軍の将校と連絡を取ったとしても決して不思議なことではありませんでした。外蒙軍もそれを警戒して頻繁《ひんぱん》に警備隊を巡回させ、満州国との国境線から十キロないし二十キロの地域を立ち入り禁止にしておりましたが、なにしろ広い国境地帯ですから、監視の目が行き届くわけはありません。

しかしもし仮に彼らの反乱が成功したとしても、ソ連軍が即時介入してその反革命を圧殺しようとするであろうことは目に見えていました。そしてソ連が介入すれば、反乱軍は日本軍の援助を要請するでしょうし、そうなると関東軍としては軍事介入する大義名分ができます。外蒙古を取ることはソ連のシベリア経営の脇腹《わきばら》にナイフを突きつけるのと同じことだからです。内地の大本営にブレーキをかけられているとはいえ、こんなうまいチャンスを、野心のかたまりのような関東軍の参謀連中が黙って見逃すわけはありません。そうなれば、これは国境紛争なんかではなく日ソの本格的な戦争になります。満ソ国境で本格的な日ソ戦争が始まれば、ヒットラーもそれに呼応してポーランドやチェコに攻め入るかもしれません。浜野軍曹の言いたかったのはそういうことです。

夜が明けても山本は戻ってきませんでした。最後の歩哨《ほしょう》に立ったのは私でした。私は浜野軍曹の小銃を借りて、少し小高くなった砂丘の上に座り、東の空をじっと眺めておりました。蒙古の夜明けというのはそれは見事なものでした。ある瞬間に地平線が一本の仄《ほの》かな線となって闇の中に浮かび上がり、それがすうっと上の方に引き上げられていきました。まるで空の上から大きな手がのびてきて、夜の帳《とばり》を地表からゆっくりとひきはがしているみたいに見えました。それは雄大な風景でした。その雄大さは、さきほども申しましたように、私という人間の意識の領域を遥かに越えた種類の雄大さでありました。それを見ているうちに私には、自分の生命がそのままだんだん薄らいで消えていくようにさえ感じられました。そこには人の営みというような些細《ささい》な物事はみじんも含まれておりませんでした。生命と呼べるようなものは何ひとつ存在しなかった太古から、これと同じことが何億回も何十億回も行われてきたのです。

私は見張りをしていることも忘れて、その夜明けの光景をただ呆然《ぼうぜん》と眺めておりました。

太陽が地平線の上にすっかり上ってしまうと、私は煙草《たばこ》に火をつけ、水筒の水を飲み、小便をしました。そして日本のことを思いました。五月の初めの故郷の風景を私は思い浮かべました。花の匂《にお》いや、川のせせらぎや、空の雲のことを思いました。古い友達や家族のことを思いました。そしてふっくらとした甘い柏餅《かしわもち》のことを思いました。私は甘いものをそれほど好みませんが、このときだけは死ぬほど柏餅を食べたかったことを覚えています。もしここで柏餅が食べられれば、半年分の給料を払ってもいいと思ったくらいでした。日本のことを考えると自分がなんだか世界の果てに置き去りにされてしまったみたいに思えました。どうしてこんなぼさぼさとした汚い草と南京虫しかいないような広大な土地を、軍事的にも産業的にもほとんど価値のない不毛な土地を、命をかけて争わなくてはならないのか、私には理解できませんでした。故郷の土地を守るためなら、私だって命を捨てても戦います。しかしこんな穀物ひとつ育たない荒れた土地のためにひとつしかない命を捨てるなんてまったく馬鹿げたことです。

山本が戻ってきたのは翌日の夜明け時のことでした。その朝もやはり私が最後の歩哨に立っていました。私はそのときぼんやりと河を眺めていたのですが、背後で馬のいななくような声が聞こえたので、慌《あわ》ててうしろを振り返りました。しかしそこには何も見えませんでした。私はそのいなきが聞こえた方向に向けてじっと小銃を構えました。唾《つば》を呑《の》み込むと、ごくんという大きな音がしました。それは自分でもぎくっとするくらい巨大な音でした。引き金にかけた指がぶるぶると震えていました。私はそれまでに誰かに向けて銃を撃ったことなんて一度もなかったのです。

しかしその何秒かあとに、よたよたと砂丘を乗り越えるようにして現れたのは、馬に乗った山本の姿でした。私は銃の引き金に指をかけたままあたりを見回しましたが、山本の他には人影は見えませんでした。彼を迎えにきたモンゴル人の姿も見えず、敵兵の姿も見えませんでした。白い大きな月が不吉な巨石のように東の空に浮かんでいるだけでした。彼は左腕に怪我《けが》をしているようでした。腕を縛ったハンカチが赤く血で染まっておりました。私は本田伍長を起こし、山本の乗ってきた馬の世話をさせました。長い距離を駆けてきたらしく、馬は大きく息をし、汗をたっぷりとかいていました。浜野が私にかわって歩哨に立ち、私は医薬品の箱を出して山本の腕の傷の治療をしました。

『弾丸は抜けたし、出血もとまっている』と山本は言いました。たしかに弾丸はうまい具合にきれいに貫通していました。その部分の肉がえぐられているだけでした。私は包帯がわりのハンカチを外し、傷口をアルコールで消毒し、新しい包帯を巻きました。そのあいだ彼は顔ひとつしかめませんでした。上唇《うわくちびる》の上のあたりに微《かす》かに汗が浮かんでいるだけでした。彼は水筒の水で喉《のど》を潤《うるお》してから煙草に火をつけて、その煙を肺の奥まで美味《うま》そうに吸い込みました。それからブローニングを取り出して脇にはさみ、カートリッジを抜き取って片手で器用に弾丸を三発装塡《そうてん》しました。『間宮少尉、我々は直ちにここを引き上げる。ハルハ河を渡って満軍の監視所に向かう』

私たちはほとんど口もきかずに急いで野営を引き払い、馬に乗って渡河地点に向かいました。いったいどこで何が起こったのか、誰に銃撃を受けたのか、私は山本には何も質問しませんでした。私はそういうことを彼に向かって質問する立場にはありませんでしたし、たとえ質問する資格が私にあったとしても、彼はおそらく答えなかったでしょう。いずれにせよそのとき私の頭の中にあったのは、とにかく一刻も早くこの敵地を抜け、ハルハ河を渡って比較的安全な右岸にたどり着くことだけでした。

私たちはただ黙々と草原に馬を進めました。相変わらず誰も口をききませんでしたが、みんなが頭の中で同じひとつのことを考えていることは明らかでした。果して無事に河を渡ることができるか、それだけです。もし外蒙軍のパトロール隊が私たちより先にその橋に着いてしまっていたら、私たちは万事休すです。私たちにはとても勝ち目はありません。私はわきの下にじっとりと汗をかいていたことを記憶しています。いつまでたってもその汗は乾きませんでした。

『間宮少尉、君はこれまで銃で撃たれたことはあるか？』と山本は長い沈黙のあとで、馬の上から私に尋ねました。

　ありません、と私は答えました。

『誰かを撃ったことはあるか？』

　ありません、と私は同じ答えを繰り返しました。

　そのような私の答えが彼にどういう感想を与えたのか、私にはわかりませんでした。あるいは彼がいったいどんな目的でそんなことを私にきいたのか、それもわかりませんでした。

『実は軍司令部に運ばねばならん書類をここに持っている』と彼は言いました。そして鞍《くら》につけた物入れの上に手を置きました。『もし運び届けることが不可能である場合には、これは断固処分されなくてはならない。焼いてもいい、埋めてもいい、しかし敵の手には何があろうと渡してはならん。何があってもだ。それが最優先事項だ。そのことをひとつ貴君に理解しておいてもらいたい。これは非常に非常に、大事なことだ』

『承知いたしました』と私は言いました。

　山本はじっと私の目をのぞきこみました。『もしまずい事態に陥りそうになったら、何よりもまず私を撃て。迷わず撃て』と彼は言いました。『自分で撃てれば自分で撃つ。しかし私は腕に怪我をしているし、場合によってはうまく自決できんかもしれん。そのときには撃ってくれ。そして撃つときには、必ず撃ち殺せ』

　私は黙ってうなずきました。

　私たちが夕暮れ前に渡河《とか》地点にたどり着いたとき、私が道中抱いていた危惧《きぐ》の念が根拠のないものではなかったことが明らかになりました。そこには既に外蒙軍の小部隊が展開していました。私と山本は小高い砂丘の上にのぼって、交代で双眼鏡を覗《のぞ》きました。兵隊の数は全部で八人とそれほど多くはありませんが、国境パトロールにしてはかなりの重装備でした。軽機関銃を持った兵隊がひとりいました。それから少し小高くなったところに重機関銃が一丁据《す》えてありました。重機関銃のまわりには砂嚢《さのう》が積んであります。機関銃が川面《かわも》を狙《ねら》って据えられていることは明白でした。彼らは私たちを向こう岸に渡さないために、そこに腰を据えているようでした。彼らは河辺に天幕を張り、杭《くい》を打って十頭ばかりの馬を繋《つな》いでいました。私たちを捕捉《ほそく》するまでは彼らはそこを動かない積もりなのでしょう。

『渡河地点はここの他にはないのですか？』と私は訊いてみました。

山本は双眼鏡から目を離し、私の顔を見て首を振りました。『あるにはあるが、いささか遠すぎる。ここから馬で丸二日かかるし、そんな時間の余裕は我々にはない。無理をしてでもここで渡るしかないんだ』

『というと、夜にこっそりと渡河するわけですか？』

『そうだ。その他に手はない。馬はここに残していく。歩哨さえ始末すれば、あとの兵隊たちはおそらくぐっすりと寝込んでいるだろう。河の流れでたいていの物音は消されてしまうから、心配しなくてもいい。歩哨は私が始末する。それまではべつに何もすることがないから、今のうちにしっかり眠って体を休めておいた方がいい』

我々はその渡河作戦の時刻を午前三時とすることに決めました。本田伍長《ごちょう》は馬に積んでいた荷物を全部下ろし、馬を遠くまで連れていって放してきました。余分な弾薬や食糧は深い穴を掘ってそこに埋めました。私たちが身につけたのは水筒と一日分の食糧と銃と少量の弾薬だけでした。もし圧倒的に火力が優勢な外蒙軍に捕捉されたら、いくら弾薬があったところで、こちらにはとても勝ち目なんてありません。それから私たちは時間が来るまで睡眠をとることにしました。河をうまく渡れたら、そのあとしばらくは眠る余裕もないはずだったからです。眠るとしたら今しかありません。最初に本田伍長が歩哨に立ち、次に浜野軍曹が交代することになりました。

テントの中に横になると、山本はすぐに眠りはじめました。彼はそれまでほとんど睡眠をとっていなかったようでした。彼はその重要書類を入れた革鞄《かわかばん》を枕元《まくらもと》に置いていました。やがて浜野も眠り始めました。私たちはみんな疲れていたのです。しかし私は緊張のせいで長いあいだ眠れませんでした。死ぬほど眠いのにどうしても眠れないのです。外蒙軍の歩哨を殺したり、渡河している我々に向けて重機関銃が火を吹くところを想像していると、神経がどんどん昂《たかぶ》ってきました。手のひらが汗でべっとりとして、こめかみが疼《うず》きました。ことにあたって、将校として恥ずかしくない行動がとれるのかどうか私には自信がもてませんでした。私はテントを出て歩哨に立っている本田伍長のところに行き、となりに腰を下ろしました。

『なあ本田、俺たちはここで死ぬかもしれんな』と私は言いました。

『そうですね』と本田は答えました。

しばらく私たちは黙っていました。しかし私には彼のその『そうですね』という返事に含まれた何かが気に入りませんでした。ある種の迷いを含んだ響きがそこにはありました。私はあまり勘のいい方ではありません。しかし彼が何かを隠して、曖昧《あいまい》な答えを返しているのだというくらいはわかりました。私は問いただしてみました。何か言いたいことがあるのなら遠慮することはない、これがもう最後かもしれんのだから、腹にあることをはっきり言ってしまったらどうか、と。

本田は唇を固く結んだまま、しばらくのあいだ足もとの砂地を指で撫《な》でていました。彼の心の中で何かが葛藤《かっとう》しているように見えました。『少尉殿《しょうい》』とややあってから彼は言いました。彼はじっと私の顔を見ていました。『少尉殿はこの我々四人の中でいちばん長生きされて、日本で死なれます。御自分で予想なさっているより遥《はる》かに長生きされることになります』

今度は私がじっと彼の顔を見る番でした。

『どうしてそんなことがわかるのかと、少尉殿は疑問に思われるでしょうね。しかしそれは自分にも説明できんのです。自分にはただわかるだけなのです』

『それはつまり、霊感のようなものなのか?』

『あるいはそうかもしれません。でも霊感という言葉は自分の心情にぴたりとこないのです。そういう大袈裟《おおげさ》なことではないのです。さっきも申し上げましたように、自分にはただわかるのです。それだけです』
『お前にはそういう傾向があるのかな、昔から？』
『あります』と彼ははっきりとした声で言いました。『しかし物心ついてからは、他人にはそのことをずっと隠しつづけてきました。今回このように生死に係わることだからこそ、そして少尉殿が相手だからこそ、私は申し上げるのです』
『じゃあ他の人間についてはどうなんだ？　それもお前にはわかっているのか？』
彼は首を振りました。『わかることもあれば、わからないこともあります。しかしおそらく少尉殿は知らないでおられた方が良いでしょう。大学を出られた少尉殿に、自分のような人間がこういう偉そうなことを申し上げるのは僭越《せんえつ》かもしれませんが、人間の運命というのはそれが通りすぎてしまったあとで振り返るものです。先回りして見るものではありません。自分はそれにある程度馴《な》れております。しかし少尉殿は馴れておられません』
『でもとにかく私はここでは死なないんだな？』
彼は足元の砂をすくって指のあいだからさらさらと落としました。『これだけは言えます。この中国大陸で少尉殿が死ぬことはありません』

私はもっと話をしたかったのですが、本田伍長はそれだけ言うとあとは口を噤《つぐ》んでしまいました。自分の思索なり瞑想《めいそう》の中に入ってしまったようでした。彼は小銃を持ったまま曠野《こうや》をじっと睨《にら》んでいました。それ以上私が何を言っても、彼の耳には入らないようでした。

私は砂丘の陰に低く張ったテントに戻って浜野の隣に横になり、目を閉じました。今度は眠りがやってきました。それはまるで足をつかまれて大洋の底に引き込まれていくような深い眠りでした」

⑬ 間宮中尉の長い話・2

「私を起こしたのはライフルの安全装置を外す、カチャリという金属音でした。戦場にいる兵隊なら、たとえどれだけ深く眠っていようとも、その音を聞きのがすことはありません。それは何といいますか、特別な音なのです。それは死そのもののように重く、冷たいのです。私はほとんど反射的に、枕元に置いたブローニングに手をのばそうとしましたが、誰かにこめかみのあたりを靴底《くつぞこ》で蹴《け》りあげられ、その衝撃で一瞬目が見えなくなりました。呼吸を整えてからうっすらと目を開けると、私を蹴ったらしい人間が屈《かが》み込んで私のブローニングを拾い上げるのが見えました。ゆっくりと顔を上げると、二丁のライフルの銃口が私の頭に向けられていました。その銃口の向こうには蒙古《もうこ》兵の姿が見えました。

眠りについた時にはテントの中にいたはずなのですが、いつのまにかテントは取り払われ、頭上には満天の星が輝いていました。別の蒙古兵がとなりの山本の頭に軽機関銃を向けていました。山本は抵抗しても無駄《むだ》だと思ったのか、まるでエネルギーを節約するみたいな恰好《かっこう》で、静かにそこに横になっていました。蒙古兵はみんな長い外套《がいとう》を着て、戦闘用のヘルメットをかぶっていました。ふたりの兵隊が大型の懐中電灯を手に持って、私と山本の姿を照らしていました。最初のうち、私にはいったい何が起こったのか、うまく呑《の》み込めませんでした。眠りがあまりにも深く、そして受けたショックがあまりにも大きかったからだと思います。しかし蒙古兵の姿を見て、山本の顔を見ているうちに、私にも事態がようやく理解できました。私たちが渡河にかかる前に、彼らの方が私たちのテントを見つけ出してしまったのです。

次に私の頭に浮かんだのは本田と浜野がどうなったかということでした。私はゆっくりと首を曲げてあたりを見回してみましたが、二人の姿はどこにも見えません。彼らが既に蒙古兵の手で殺されてしまったのか、あるいはなんとかうまく逃げることができたのか、私にはわかりませんでした。

彼らはどうやら先ほど渡河地点でみかけたパトロール隊の兵隊であるようでした。それほどの人数ではありません。装備は軽機が一丁とあとは小銃というところです。指揮を取っているのは大柄《おおがら》な下士官で、彼ひとりがまともな長靴《ちょうか》を履いていました。

最初に私の頭を蹴り上げた男です。彼は身をかがめて山本の枕もとにあった革鞄を取り、それを開けて中を覗き込みました。それから逆さにしてばたばたと振りました。しかし地面に落ちたのは一箱の煙草《たばこ》だけでした。私は驚きました。というのは、私は山本がその鞄の中に書類を入れるのをちゃんと見ていたからです。彼は馬の鞍につい た物入れから書類を取り出し、それを手提げ鞄に入れて、枕元に置いたのです。山本も、いつものように涼しい顔をしようと努力してはいましたが、その表情が一瞬さっと崩れかけたのを私は見逃しませんでした。その書類がいつ、どうして消えてしまったのか、彼にもどうやらさっぱり見当がつかないようでした。しかしいずれにせよ、それは彼にとっては有り難いことだったはずです。というのは、彼自身が私に言ったように、その書類を敵の手に渡さないということが、私たちにとっての最優先事項であったわけですから。

兵隊たちは、私たちの荷物を全部ひっくりかえして、隅《すみ》から隅まで仔細《しさい》に点検しました。しかしそこには重要なものはなにひとつ入っておりませんでした。次に彼らは我々の着ていた服を全部脱がせ、そのポケットをひとつひとつ調べました。彼らは銃剣を使って服や背嚢を裂きました。しかし書類はどこにもみつかりませんでした。彼らは私たちの持っていた煙草やペンや財布やノートや時計を取り上げ、自分のポケットに入れました。私たちの靴をかわりばんこに試し、サイズの合ったものがそれを自分のものにしました。誰が何を取るかについては、兵隊たちのあいだでかなり激しい口論がありましたが、下士官は知らん顔をしていました。たぶん蒙古では捕虜や敵の戦死者の所有物を取って自分のものにするのは、当然のことなのでしょう。下士官は自分のために山本の時計をひとつ取って、あとは兵隊たちの勝手にさせておきました。それ以外の軍装品、つまり我々の拳銃《けんじゅう》や弾薬や地図や磁石や双眼鏡といったようなものは、まとめて布袋の中に入れられました。それらはおそらくウランバートルの司令部に送られるのでしょう。

それから彼らは裸になった我々を細く丈夫な紐《ひも》で固く縛り上げました。近くに寄ると、蒙古兵たちの体からはまるで長いあいだ掃除していない家畜小屋のような臭《にお》いがしました。軍服はきわめて粗末なものでしたし、泥《どろ》や埃《ほこり》や食べ物のしみのようなものでどろどろに汚れていました。それがもともとどういう色をしていたかさえほとんどわからないくらいでした。靴はぼろぼろでところどころ穴が開き、今にもばらばらにほどけてしまいそうに見えました。私たちの靴を欲しがったのも無理はありません。彼らの多くはきわめて粗野な顔をしており、歯は汚く、髭《ひげ》は伸び放題でした。彼らは一見すると兵隊というよりはむしろ馬賊、群盗のように見えましたが、彼らの持っているソビエト製の武器や、星のついた階級章は、彼らが正規のモンゴル人民共和国の軍隊であることを示しておりました。もっとも私の目から見ると、彼らの戦闘集団としてのまとまりや士気はそれほど高くないように見受けられました。蒙古人というのは我慢強く、タフな兵隊です。しかし集団で戦う近代戦にはあまりむかんのです。

夜は凍りつくように寒く、暗闇《くらやみ》にぽっかりと白く浮かび上がっては消えていく彼らの息を見ていると、まるで自分が何かの間違いで悪夢の風景の一部に組み込まれてしまったみたいに私には感じられました。私にはそれが現実の出来事だということが、うまく呑み込めなかったのです。たしかにそれは悪夢でした。でもそれは、もちろんあとになってわかったことですが、巨大な悪夢のほんの始まりにすぎなかったのです。

そのうちに一人の兵隊が闇の中からずるずると何かをひきずってきました。そしてにやっと笑ってから、それを我々のとなりにどすんと放《ほう》り出しました。それは浜野の死体でした。浜野の靴は既に誰かの手に渡っていたらしく、裸足《はだし》でした。彼らはそれから浜野の死体も裸にし、ポケットの中にあるものを全部点検しました。腕時計と財布と煙草が取り上げられました。彼らはみんなで煙草を分け、それをふかしながら財布の中のものを調べました。財布の中には満州国の紙幣が何枚かと、彼の母親らしい女性の写真が入っていました。指揮を取っていた下士官が何かを言って、紙幣を取り上げました。母親の写真は地面に捨てられました。

浜野は歩哨《ほしよう》に立っているときに、こっそりと後ろから忍び寄った蒙古兵に喉《のど》をナイフで裂かれたようでした。私たちがやろうとしていたことを、彼らが先にやったわけです。ぱっくりとあいた裂け目から、真っ赤な血が流れていました。しかし血も既にあらかた出尽くしてしまったらしく、裂け目の大きな割には、そこから出てくる血の量はそれほど多くはありませんでした。ひとりの兵隊が腰に差した鞘《さや》から刃わたり十五センチほどの、湾曲したナイフを抜いて、私に見せました。そんな奇妙なかたちのナイフを見たのは初めてでした。何か特殊な用途に使うナイフのようでした。その兵隊はそれで喉をかき切る真似《まね》をして『ひゅうっ』という音を立てました。何人かの兵隊が笑いました。そのナイフは軍の支給品ではなくて、彼の私物のようでした。というのは、みんなは腰に長い銃剣を差していましたが、その湾曲したナイフを差しているのは彼ひとりだけだったからです。どうやら彼がそのナイフで浜野の喉を裂いたようでした。彼は手の中でそのナイフをくるくると器用に回してから、鞘におさめました。

山本は何も言わずに目だけを動かしてちらりと私の方を見やりました。それはほんの一瞬のことでしたが、私には彼が何を語ろうとしていたのかがすぐに理解できました。

た。〈本田はうまく逃げることができたのだろうか〉と彼の目は私に向かって語っていたのです。そしてその混乱と恐怖の中で、実は私もまた彼と同じことを考えていました。〈本田伍長はいったいどこに行ったのだ〉と。もし彼がうまく外蒙軍の急襲から逃げ延びていれば、我々にもまだチャンスはあるかもしれません。それはかないチャンスかもしれません。本田ひとりで何ができるかということになると、暗澹《あんたん》たる気持ちにならざるをえません。しかしそれでもチャンスはチャンスです。何もないよりはましです。

　私たちは縛り上げられたまま、夜が明けるまでそこの砂の上に寝かされておりました。軽機を持った兵隊と、小銃を持った兵隊が私たちの見張りに残されましたが、その他の兵隊は私たちを捕らえたことで一安心したのか、ちょっと離れたところに集まってみんなで煙草を吹かし、喋《しゃべ》ったり、笑ったりしていました。私と山本は一言も口を利《き》きませんでした。五月とはいえ、明け方の温度は零下まで落ち込みます。私たちは裸にされていましたから、このまま凍りついて死んでしまうのではないかとさえ思いました。しかしその寒さも、そのとき私が感じていた恐怖に比べたらなんでもないものでした。これから私たちがどんな目にあわされるのか、私には見当もつきませんでした。彼らはただのパトロール隊ですから、私たちの処遇を自分たちだけでは判断できないはずです。上からの命令を待つしかないのです。だからしばらくのあいだは殺されるようなことはないでしょう。しかしその先のこととなると、まったく予測がつきません。山本はおそらくスパイですし、私も彼と一緒に捕まったわけですから、当然その協力者ということになります。いずれにせよ、ことがそう簡単に済むわけはありません。

夜が明けてしばらくすると、上空に飛行機の爆音らしきものが聞こえてきました。それからやがて銀色の機体が視野に入ってきました。外蒙軍のマークのついたソ連製の偵察機《ていさつ》でした。偵察機は私たちの頭上を何度か旋回しました。兵隊たちはみんなで手を振りました。飛行機は翼を何度か上下させて、我々の方に合図を送りました。それから飛行機は近くにある開けた場所に砂塵《さじん》を舞いあげて着陸しました。このあたりは地盤も固く、障害物がありませんから、滑走路がなくても比較的楽に離着陸できるのです。あるいは彼らは同じ場所をこれまでに何度も飛行場がわりに使っていたのかもしれません。兵隊のひとりが馬にまたがり、二頭の予備の馬を連れてそちらの方に走って行きました。

兵隊は二人の高級将校らしい男を馬に乗せて戻って来ました。一人はロシア人で、もう一人は蒙古人でした。パトロール隊の下士官が私たちを捕らえたことを司令部に無線で伝え、二人の将校は我々を尋問するためにウランバートルからわざわざやってきたのだろうと私は推測しました。おそらく情報部の将校なのでしょう。先年の反政府派の大量逮捕、大粛清においても、陰で操作したのはGPUだという話は聞いていました。

どちらの将校も清潔な軍服を着て、髭をきちんと剃《そ》っていました。ロシア人は腰にベルトのついたトレンチ・コートのようなものを着ていました。コートの下からのぞいている長靴はよく光り、しみひとつありませんでした。ロシア人にしてはそれほど背は高くなく、瘦《や》せていました。歳《とし》は三十代前半というところでしょうか。額が広く、鼻は細く、肌《はだ》は淡いピンク色に近く、金属縁の眼鏡をかけておりました。全体的に言って、印象というほどの印象のない顔でした。外蒙軍の将校は、ロシア人とは逆にがっしりとした色黒の小男で、彼のとなりに立っていると、まるで小さな熊《くま》のように見えました。

蒙古人の将校は下士官を呼んで、彼らは三人でみんなから少し離れたところに立って、何かを話していました。たぶん詳しい報告を受けているのだろうと私は推察しました。下士官は私たちから取り上げたものを入れた布袋を持ってきて、その中身を彼らに見せました。ロシア人はそれらをひとつひとつ丁寧に調べていましたが、やがて全部をまた袋の中に戻しました。ロシア人は蒙古人の将校に何かを言い、将校は下士官に何かを言いました。それからロシア人は胸のポケットから煙草入れを取り出し、外蒙軍の将校と下士官に勧めました。そして三人は煙草を吸いながら何かを話し合っていました。ロシア人は右手のこぶしで左手の手のひらを何度も叩《たた》きながら、二人に何かを言っていました。彼は少し苛立《いらだ》っているように見えました。蒙古人の将校はむずかしい顔で腕組みをし、下士官は何度か首を振りました。

やがて将校は私たちの居るところにゆっくりと歩いてきました。そして私と山本の前に立ちました。『煙草は吸うか？』と彼は私たちにロシア語で話しかけました。私は大学でロシア語を学んだので、先程も申し上げましたようにロシア語のおおよその会話は理解できます。しかし面倒に巻き込まれたくないので、まったくわからないふりをしていました。『ありがとう。しかし要らない』と山本はロシア語で答えました。かなりこなれたロシア語でした。

『結構』とソ連軍の将校は言いました。『ロシア語で喋れるとなると、話が速い』

彼は手袋を脱いで、それをコートのポケットに入れました。左手の薬指には小さな金の指輪が見えました。『君もよく承知していると思うが、我々はあるものを探している。それも必死に探している。そして我々は君がそれを持っていることを知っている。どうして知っているか訊《き》かないでほしい。ただ知っているのだ。しかし君はいまそれを身につけていない。ということは、論理的に考えると、捕まる前に君がそれをどこかに隠したということだ。まだあちらには――』と言って彼はハルハ河の方を指さしました。『――運んでいない。誰もまだハルハ河を渡ってはいない。書簡は、河のこちら側のどこかに隠されているはずだ。私の言ったことは理解できたか？』

山本はうなずきました。『あなたの言ったことは理解できた。しかしその書簡のことについては私たちは何も知らない』

『結構』とそのロシア人は無表情に言いました。『それではひとつ些細《ささい》な質問をするが、君たちはいったいここで何をしていたのだ？　ここは君たちもよく知っているように、モンゴル人民共和国の領土だ。君たちは他人の土地にどういう目的で入ってきたのだ。その理由を聞かせてもらいたい』

自分たちは地図の作成をしていたのだ、と山本は説明しました。私は地図会社に勤める民間人で、ここにいる男と殺された男は、私の護衛役として付き添ってきてくれた。河のこちら側が諸君の領土であることはわかっていたし、国境を越えたことについては申し訳なく思っている。しかし私たちには領土侵犯というような意識はなかったのだ。私たちとしては、こちら岸の高台から地形を見たかっただけなのだ、と。

ロシア人の将校はあまりおもしろくなさそうに、薄い唇《くちびる》を曲げて笑いました。『申し訳ない、いい、いい、いい、思っている』と彼は山本の言葉をゆっくりと反復しました。『なるほどね。高台から地形を見たかったのか。なるほどね。高いところにのぼれば見通しは良いものな。筋はとおっている』

しばらくのあいだ、彼は何も言わずに黙って空の雲を眺《なが》めていました。それから山本に視線を戻し、ゆっくりと首を振ってため息をつきました。

『君の言うことを信じることができたらどんなによかろうと思う。君の肩をたたいて「よくわかった。さあ、河を渡ってあっちに帰りたまえ。この次からは注意するんだよ」とでも言えたらどんなにいいだろうかと思うよ。嘘《うそ》じゃない。本当にそう思うんだ。しかし残念ながら、私にはそうすることはできない。何故《なぜ》なら私は君が誰かをよく知っているからだ。君がここで何をしているかもよく知っている。私たちはハイラルに何人かの友人を持っているのだ。君たちがウランバートルに何人かの友人を持っているのとおなじようにな』

ロシア人はポケットから手袋を取り出し、それを畳みなおしてから、またポケットに入れました。『正直に言って、私は君たちを苦しめたり、あるいは殺したりすることにとくに個人的な興味はないのだ。書簡さえこちらに渡してくれたなら、君たちにはそれ以上用事はない。私の裁量で、君たちはこの場ですぐに釈放される。そのまま河を渡ってあっちがわに帰ってよろしい。それは私が名誉にかけて保証する。そのあとのことは、私たちの国内の問題だ。君たちには関係ない』

東から射《さ》してくる太陽の光が、私の肌をようやく温め始めていました。風はなく、空には白く硬い雲がいくつか浮かんでいました。

長い長い沈黙が続きました。誰もひとことも口をききませんでした。ロシア人の将校も、蒙古人の将校も、パトロール隊の兵士たちも、山本も、みんなそれぞれに黙り込んでいました。山本は捕らえられたときから既に死を覚悟しているらしく、その顔には表情といえるほどのものはまったく浮かんでいませんでした。

『あるいは君たちは、ふたりとも、ここで、死ぬことに、なる』とロシア人は一言ひとことを区切りながら、子供に言い聞かせるようにゆっくりと言いました。『それも相当ひどい死に方をすることになる。彼らは――』、ロシア人はそう言って、蒙古兵の方を見ました。軽機を構えた大柄の兵隊は私の顔を見て、汚い歯を見せてにやっとしました。『彼らは、凝った面倒な殺し方をするのが大好きなんだ。いうなれば、そういう殺し方のエキスパートなんだ。ジンギス汗《かん》の時代から、モンゴル人はきわめて残虐《ざんぎやく》な殺しを楽しんできたし、その方法についても精通している。私たちロシア人は、いやというほどそのことを知っている。学校で歴史の時間に習うんだよ。モンゴル人たちがロシアでかつて何をしたかということをね。彼らはロシアに侵入したときには、何百万という人間を殺した。ほとんど意味もなく殺したんだ。キエフで捕虜にしたロシア人貴族たちを何百人も一度に殺した話を知っているかね。彼らは大きな厚い板を作って、その下に貴族たちを並べて敷き、その板の上でみんなで祝宴を張って、その重みで潰《つぶ》して殺したんだ。そんなことは普通の人間にはなかなか思いつけるもんじゃないよ。そう思わないかね？　時間だってかかるし、準備だってたいへんだ。ただ面倒なだけじゃないか。でも彼らはあえてそういうことをやるんだ。何故なら、それは彼らにとって楽しみだからだ。彼らは今でも、その手のことはやっているよ。私は前に一度そういうのを実際に目にしたことがある。私はそれまでにもずいぶん荒っぽいものを目にしてきたと自分では思っていたが、その夜はさすがに食欲が出なかったことを記憶している。私の言っていることは伝わっているかな？　私の喋り方は速すぎないかね？』

山本は首を振りました。

『結構』と彼は言いました。そしてひとつ咳払《せきばら》いして間を置きました。『今回は二回目だから、うまくいけば夕食までにはなんとか食欲が戻っているかもしれない。しかし私としては、出来ることならば、無用な殺生《せっしょう》は避けたい』

ロシア人は手をうしろで組んで、しばらく空を見上げていました。それから手袋を取り、飛行機の方を見ました。『良い日和《ひより》だ』と彼は言いました。『春だ。まだ少し寒いが、これくらいがいい。もっと暑くなると、今度は蚊が出てくる。こいつがひどい。夏よりは、春の方がずっといい』、彼はもう一度煙草《たばこ》入れを取り出し、一本くわえてマッチで火をつけました。そしてゆっくりと煙を吸い込み、ゆっくりとそれを吐きだしました。『もう一度だけ尋ねるが、本当に書簡のことは知らないと君は言うんだね？』

『ニェト』と彼は簡単に言いました。

『結構』とロシア人は言いました。『結構』、それから彼は蒙古《もうこ》人の将校に向かって、蒙古語で何かを言いました。将校はうなずいて、兵隊たちに命令を伝えました。兵隊たちはどこかから丸太を持ってきて、銃剣を使ってその先を器用に削って尖《とが》らせ、四本の杭《くい》のようなものを作りました。それから彼らは必要とする距離を歩幅で測って、その四本の杭をほぼ四角に、地面に石でしっかりと打ち込みました。それだけの準備をするのにおおよそ二十分くらいはかかったと思います。これから何が始まるのか、私にはさっぱり見当がつきませんでした。

『彼らにとっては、優れた殺戮《さつりく》というのは、優れた料理と同じなのだ』とロシア人は言いました。『準備にかける時間が長ければ長いほど、その喜びもまた大きい。殺すだけなら、鉄砲でズドンと撃てばいい。一瞬で終わってしまう。しかしそれでは――』、彼は指の先でつるりとした顎《あご》をゆっくりと撫《な》でました。『――面白くない』

彼らは山本を縛っていた紐《ひも》を解き、彼をその杭のところに連れていきました。そして彼は全裸のまま、その杭に手足を縛りつけられました。大の字に仰向けにされた彼の体にはいくつもの傷が見えました。どれも生々しい傷でした。

『君たちも知ってのとおり、彼らは遊牧民である』と将校は言いました。『遊牧民は羊を飼い、その肉を食べ、羊毛を取り、皮を剝《は》ぐ。つまり羊は、彼らにとっての完全動物なのだ。彼らは羊とともに暮らし、羊とともに生きる。彼らは非常に上手に羊の皮を剝ぐ。そしてその皮でテントを作り、服を作るのだ。君は彼らが羊の皮を剝ぐところをみたことがあるだろうか？』

『殺すんなら早く殺せばいいだろう』と山本は言いました。

ロシア人は手のひらを合わせてゆっくりとさすりながら、うなずきました。『大丈夫、ちゃんと殺す。心配することはない。心配することは、何もない。少し時間はかかるが、ちゃんと死ぬから案ずることはない。慌《あわ》てることはない。ここは見渡すかぎり何もない荒野だ。時間ならたっぷりとある。それに、私にもいろいろと話したいことはあるんだ。さてその、皮を剝ぐ作業のことだが、どの集団にも皮を剝ぐ専門家のような人間がひとりはいる。プロフェッショナルだ。彼らは本当にうまく皮を剝ぐ。これはもう奇跡的と言ってもいいくらいのものだ。芸術品だ。本当にあっというまに剝いでしまうんだ。生きたまま皮を剝がれても、剝がれていることに気がつかないんじゃないかと思うくらい素早く剝いでしまうんだ。しかし――』と彼は言って胸のポケットからまた煙草入れを取り出し、それを左手に持って、右手の指先でとんとんと叩きました。『――もちろん気がつかないわけはない。生きたまま皮を剝がれると、剝がれる方はものすごく痛い。想像もできないくらいに痛い。そして死ぬのに、ものすごく時間がかかる。出血多量で死ぬわけだが、これはなにしろ時間がかかる』

彼は指をぱちんと鳴らしました。すると彼と飛行機で一緒にやってきた蒙古人の将校が前に出ました。彼はコートのポケットの中から、鞘に入ったナイフを取り出しました。それは、さっき首を切る真似をした兵隊が持っていたのと同じ形のナイフでした。彼はナイフを鞘から抜き、それを空中にかざしました。朝の太陽にその鋼鉄の刃が鈍く白く光りました。

『この男は、そのような専門家の一人である』とロシア人の将校は言いました。『いいかね、ナイフをよく見てもらいたい。これは皮を剝ぐための、専門のナイフなんだ。実にうまく作られている。刃は剃刀《かみそり》のように薄く、鋭い。そして彼らの技術のレベルも非常に高い。なにしろ何千年ものあいだ動物の皮を剝ぎつづけてきた連中だからね。彼らは本当に、桃の皮を剝ぐように、人の皮を剝ぐ。見事に、綺麗《きれい》に、傷ひとつつけず。私の喋り方は速すぎるかな?』

山本は何も言いませんでした。

『少しずつ剝ぐ』とロシア人の将校は言いました。『皮に傷をつけないできれいに剝ぐには、ゆっくりやるのがいちばんなんだ。途中でもし何か喋りたくなったら、すぐに中止するから、そう言ってもらいたい。そうすれば死なずにすむ。彼はこれまでに何度かこれをやってきたが、最後まで口を割らなかった人間は一人もいない。それはひとつ覚えておいてほしい。中止するなら、なるべく早い方がいい。お互いその方が楽だからな』

ナイフを持ったその熊のような将校は、山本の方を見てにやっと笑いました。私はその笑いを今でもよく覚えています。今でも夢に見ます。私はその笑いをどうしても忘れることができないのです。それから彼は作業にかかりました。兵隊たちは手と膝《ひざ》で山本の体を押さえつけ、将校がナイフを使って皮を丁寧に剝いでいきました。本当に、彼は桃の皮でも剝ぐように、山本の皮を剝いでいきました。私はそれを直視することができませんでした。私は目を閉じました。私が目を閉じると、蒙古人の兵隊は銃の台尻《だいじり》で私を殴りました。私が目を開けるまで、彼は私を殴りました。しかし目を開けても、目を閉じても、どちらにしても彼の声は聞こえました。彼は初めのうちはじっと我慢強く耐えていました。しかし途中からは悲鳴をあげはじめました。それはこの世のものとは思えないような悲鳴でした。男はまず山本の右の肩にナイフですっと筋を入れました。そして上の方から右腕の皮を剝いでいきました。彼はまるで慈《いつく》しむかのように、ゆっくりと丁寧に腕の皮を剝いでいきました。たしかに、ロシア人の将校が言ったように、それは芸術品と言ってもいいような腕前でした。もし悲鳴が聞こえなかったなら、そこには痛みなんてないんじゃないかとさえ思えたことでしょう。しかしその悲鳴は、それに付随する痛みの物凄《ものすご》さを語っていました。

やがて右腕はすっかり皮を剝がれ、一枚の薄いシートのようになりました。皮剝ぎ人はそれを傍《かたわ》らにいた兵隊に手渡しました。兵隊はそれを指でつまんで広げ、みんなに見せてまわりました。その皮からはまだぽたぽたと血が滴《したた》っていました。皮剝ぎの将校はそれから左腕に移りました。同じことが繰り返されました。彼は両方の脚の皮を剝ぎ、性器と睾丸《こうがん》を切り取り、耳を削ぎ落としました。それから頭の皮を剝ぎ、顔を剝ぎ、やがて全部剝いでしまいました。山本は失神し、それからまた意識を取り戻し、また失神しました。失神すると声が止《や》み、意識が戻ると悲鳴が続きました。しかしその声もだんだん弱くなり、ついには消えてしまいました。ロシア人の将校はそのあいだずっと長靴《ちょうか》の踵《かかと》で、地面に意味のない図形を描いていました。蒙古人の兵隊たちは一様に押し黙って、じっとその作業を眺めていました。彼らはみんな無表情でした。そこには嫌悪《けんお》の色もなければ、感動も驚愕《きょうがく》もうかがえませんでした。彼らはまるで、私たちが散歩のついでに何かの工事現場を見物しているときのような顔つきで、山本の皮が一枚一枚剝がれていくのを眺めておりました。

　私はそのあいだ何度も吐きました。最後にはこれ以上吐くものもなくなってしまいましたが、私はそれでもまだ吐きつづけました。熊のような蒙古人の将校は最後に、すっぽりときれいに剝いだ山本の胴体の皮を広げました。そこには乳首さえついていました。あんなに不気味なものを、私はあとにも先にも見たことがありません。誰かがそれを手に取って、シーツでも乾かすみたいに乾かしました。あとには、皮をすっかりはぎ取られ、赤い血だらけの肉のかたまりになってしまった山本の死体が、ごろんと転がっているだけでした。いちばんいたましいのはその顔でした。赤い肉の中に白い大きな眼球がきっと見開かれるように収まっていました。歯が剝《む》き出しになった口は何かを叫ぶように大きく開いていました。鼻を削がれたあとには、小さな穴が残っているだけでした。地面はまさに血の海でした。

ロシア人の将校は地面に唾《つば》を吐き、私の顔を見ました。そしてポケットからハンカチを取り出して口もとを拭《ふ》きました。そしてハンカチをまたポケットに仕舞いました。『どうやらあの男は本当に知らなかったようだな』と彼は言いました。彼の声は前よりも幾分か乾いていました。『知ってたら絶対に喋《しゃべ》ったはずだ。気の毒なことをしたな。しかし彼はなんといってもプロなんだし、どうせいつかはろくでもない死に方をするんだ。仕方あるまい。まあそれはともかく、彼が知らないとなると、君が何を知るわけもなかろう』

ロシア人の将校は煙草をくわえ、マッチを擦《す》りました。

『ということはつまり、君にはもう利用価値がないということだ。拷問《ごうもん》して口を割らせる価値もないし、捕虜にして生かしておく価値もない。実を言うと私たちとしては、ごく内密に今回の事件を処理したいと考えているのだ。あまり表沙汰《おもてざた》にしたくないであるから、君をウランバートルに連れて帰ると、話がいささか面倒になる。いちばんいいのは、今すぐ君の頭に銃弾を撃ち込んで、どこかに埋めるか、焼いてハルハ河に流してしまうことだ。それですべては簡単に終わる。そうだろう？』、彼はそう言うと、私の顔をじっとのぞきこみました。しかし私は彼の言っていることが何も理解できないふりをつづけました。『どうやら君はロシア語が理解できんようだから、こんなことをいちいち喋ったところで時間の無駄《むだ》だとは思うのだが、まあいい。これは私のひとりごとのようなもんだ。そう思って聞いていてほしい。ところで、君に良い知らせがひとつある。私は君を殺さないことにした。これは私が君の友達を、心ならずも無駄に殺してしまったことに対する、私のささやかな謝罪の気持ちだと解釈してもらってかまわない。今日は朝からみんなでたっぷりと殺しを堪能《たんのう》した。こんなことは一日に一度で沢山だ。だから君は殺さない。殺すかわりに、君には生き延びるチャンスを与える。うまくいけば——助かる。可能性はたしかに高くはない。ほとんどないと言っていいくらいかもしれない。しかしチャンスはチャンスだ。少なくとも、皮を剝がれるよりはずっといい。そうだろう？』

彼は手を上げて蒙古人の将校を呼びました。彼は皮剝ぎに使ったナイフを水筒の水で大事そうに洗い、小さな砥石《といし》で研ぎ終えたところでした。蒙古人の兵隊たちは山本の体から剝いだ皮を広げて、その前で何かを言い合っていました。どうやらその皮剝ぎ技術の細部についての意見の交換が行われているようでした。蒙古人の将校はナイフを鞘《さや》に収め、それをコートのポケットに入れてから、こちらにやってきました。彼は私の顔をしばらく眺め、それからロシア人の方を見ました。ロシア人が彼に蒙古語で短く何かを言い、蒙古人は無表情にうなずきました。兵隊が彼らのために馬を二頭連れてきました。

『我々はこれから飛行機でウランバートルに戻る』とロシア人は私に言いました。『手ぶらで帰るのは残念だが、仕方ない。うまくいくこともあれば、うまくいかんこともある。夕飯までに食欲が戻ればいいと思うのだが、あまり自信はないな』

そして彼らは馬に乗って去っていきました。飛行機が離陸し、小さい銀色の点となって西の空に消えてしまうと、あとには私と蒙古兵と馬だけが残されました。

蒙古兵たちは私を馬の鞍《くら》にしっかりと縛りつけ、隊列を組んで北に向けて出発しました。私のすぐ前にいた蒙古兵は小さな低い声で、単調なメロディーの歌を歌っておりました。それ以外に聞こえるものといえば、馬の蹄《ひづめ》が砂をさくっさくっとはね上げる乾いた音だけでした。彼らが私をどこに連れていこうとしているのか、そして自分がこれからいったいどんな目にあわされるのか、私には見当もつきませんでした。私にわかっていることは、私という人間が彼らにとっては何の価値もない余計な存在であるという事実だけでした。私はあのロシア人の将校の言ったことを頭の中で何度も繰り返してみました。彼は私を殺さないと言いました。殺しはしない――しかし生き延びるチャンスはほとんどないだろう、と言ったのです。それが具体的にどのようなことを意味するのか、私にはわかりませんでした。彼の言ったことはあまりにも漠然《ばくぜん》としていました。あるいはそれは、何かおぞましい趣向を盛り込んだゲームのようなものに私を使うということなのかもしれません。あっさりと殺してしまうのでなく、ゆっくりとその趣向を楽しもうという魂胆かもしれません。

しかしそうはいっても、自分がそこであっさり殺されてしまわなかったことに、とりわけ山本と同じように生きたまま皮を剝がれたりしなかったことに、私は安堵《あんど》の息をつきました。こうなった以上、殺されるのは仕方ないとしても、あんなひどい死に方だけはごめんです。それになにはともあれ、少なくとも私はまだこうして生きて、呼吸をしているのです。そしてロシア人の将校の言ったことをそのまま信じるなら、私はすぐには殺されないのです。死ぬまでに時間の余裕があるということは、それだけ生き延びる可能性もあるということです。それがどれほど微小な可能性であるにせよ、私はそれにすがりつくしかないのです。

それから本田伍長《ごちょう》の言葉がふと私の脳裏によみがえってきました。私が中国大陸で死ぬことはないというあの奇妙な予言のことです。私は馬の鞍に縛りつけられて、裸の背中を砂漠の太陽にじりじりと焼かれながら、彼の口にした言葉のひとつひとつを何度も反芻《はんすう》しました。彼のそのときの表情や、抑揚や、言葉の響きを時間をかけて思いだしました。そしてその予言を心から信じようと思いました。そうだ、自分はこんなところでおめおめと死ぬわけはないんだ、必ずやここを抜け出して生きて故郷の土を踏むんだ、私は自分にそう強く言い聞かせました。

二時間か三時間、彼らは北に進みました。そしてラマ教の石塔のあるところでとまりました。そのような石塔はオボとよばれています。それは道祖神のようなものでもあり、また砂漠の中の貴重な標識の役目も果たしています。そのオボの前で彼らは馬を下り、私を縛っていた紐をほどきました。そして二人の兵隊が私の体を両脇《りようわき》から支えるようにして少し離れたところに連れていきました。ここでおそらく殺されるのだろうと私は思いました。彼らが私を連れていったところは、地面に掘られた井戸でした。井戸のまわりには、高さ一メートルほどの石の壁が巡らされていました。彼らは私をその井戸の縁にひざまずかせ、首のうしろを摑《つか》んで、その中を覗《のぞ》きこませました。深い井戸であるらしく、中は真っ暗で何も見えませんでした。長靴を履いた下士官が握りこぶしほどの大きさの石を持ってきて、それを井戸の中に放《ほう》り込みました。少しあとでどすっという乾いた音が聞こえました。それはどうやら涸《か》れた井戸であるようでした。昔は砂漠の井戸の役目を果たしていたものが、地下の水脈の移動によって、ずっと以前に涸れてしまったのでしょう。石が底に到達するまでの時間をみると、かなりの深さがあるようでした。

下士官は私の顔を見てにやっと笑いました。それから彼はベルトにつけた革のサックから大きな自動拳銃《けんじゅう》を取り出しました。彼は安全装置を外し、かしゃっという音を立てて弾丸を薬室に送り込みました。そして私の頭に銃口を向けました。

しかし彼は長いあいだ引き金を引きませんでした。彼は銃身をゆっくりと下におろしました。それから彼は左手を上げ、私の背後の井戸を指さしました。私は乾いた唇《くちびる》を舌で舐《な》めながら、じっと彼の拳銃を見ておりました。要するにこういうことなのです。私にはふたつにひとつの運命を選ぶことができます。まずひとつは、今すぐ彼に撃たれることです。私はあっさりと死んでしまいます。もうひとつは自分から井戸の中に飛び込むことです。深い井戸ですから、打ちどころが悪ければ死んでしまうかもしれません。でなければ、私はその暗い穴の底でじわじわと死んでいくことになります。私にはやっと理解できました。これがあのロシア人の言っていたチャンスということなのです。それから下士官は今は彼のものになった山本の腕時計を示し、それから指を五本上げました。考える時間を五秒与えるということです。私は彼が三まで数えたときに、壁に脚をかけ、思い切って井戸の中に飛び込みました。それ以外に私には選ぶべき道もなかったのです。私は井戸の壁につかまって、それをつたって下におりようと思ったのですが、実際にはそんな余裕は私にはありませんでした。私の手は壁を摑みそこね、そのまま下に転げ落ちてしまいました。

それは深い井戸でした。私の体が地面に当たるまでに随分長い時間がかかったような気がします。もちろん実際にはそれはせいぜい数秒のことでしたし、とても『長い時間』と呼べるようなものではありません。しかし私はその暗闇《くらやみ》を落下していくあいだに実にいろんなことを考えたように記憶しています。私は遠い故郷のことを思いました。私は私が出征する前に一度だけ抱いた女性のことを思いました。両親のことを思いました。私は自分に弟ではなく妹がいたことを感謝しました。私がここで死んでも、少なくとも彼女だけは兵隊に取られることもなく両親のもとに残されるのです。私は柏餅《かしわもち》のことを思いました。それから私の体が乾いた地面を打ち、私はそのショックで一瞬気を失いました。まるで体じゅうの空気がはじけとんでしまったような気分でした。私の体は砂袋のようにどさっと井戸の底の地面を打ちました。

しかし私がショックで気を失っていたのは、ほんの一瞬のことであったと思います。

私が意識を取り戻したとき、何かのしぶきのようなものが私の体に当たっていました。最初のうち、雨が降っているのかと私は思いました。でもそうではありませんでした。それは小便でした。蒙古《もうこ》兵たちがみんなで、井戸の底にいる私に向かって小便をかけているのでした。ずっと上を見上げると、丸い穴の縁に彼らが立って、かわりばんこに小便をしている姿がシルエットのように小さく浮かびあがっていました。それは私の目には何かしらひどく非現実的なものに見えました。それはまるで、麻薬を飲んだとき起こる幻覚のように私には感じられました。でもそれは現実でした。私は井戸の底にいて、彼らは本物の小便を私にかけていました。彼らはみんなで小便を出してしまうと、誰かが懐中電灯で私の姿を照らしだしました。笑い声が聞こえました。そして彼らは穴の縁から姿を消しました。彼らが行ってしまうと、すべては深い沈黙の中に沈み込みました。

私はしばらくそこに顔を伏せたままじっとして、彼らが戻ってくるかどうか様子を見ることにしました。しかし二十分たち三十分たっても（もちろん時計がありませんので、たぶんだいたいそれくらいだろうと思うだけですが）、彼らは戻ってはきませんでした。彼らはどうやら引き上げてしまったようでした。私はそこに、砂漠の真ん中の井戸の底に、ひとりで取り残されていました。彼らがもう戻ってこないことがわかると、私はまず自分の体がどうなったかを点検することにしました。暗闇の中で自分の体の状態を調べるというのはなかなか難しいものです。私には自分の体を見ることもできません。それがどんな風になっているかを目で確かめることもできません。自分の感じる感覚だけで、その状態を見極めなくてはならないのです。ところが深い暗闇の中にいると、自分の今感じている感覚が本当に正しい感覚なのかどうか、それがよくわからなくなってくるのです。何かしら自分が誤魔化され、欺《あざむ》かれているような気さえするのです。それはとても奇妙な感じです。

しかし私は少しずつ、そして注意深く、自分の置かれた状態をひとつひとつ掌握していきました。まずだいいちに私が理解したことは、そして私にとってまことに幸運であったことは、井戸の底が比較的柔らかい砂地であったということです。もしそうでなかったら、井戸の深さからして、私の骨の多くはそこに衝突した際に、砕けるか折れるかしていたことでしょう。私は一度大きく深呼吸してから、体を動かしてみようと試みました。まず私は手の指を動かしてみました。指は、いささか心もとなげではありましたが、なんとか動きました。それから私は体を地面の上に起こそうとしました。しかし私は自分の体を起こすことができませんでした。私の体はすべての感覚をなくしてしまったように感じられました。意識はちゃんとあります。しかしその意識と肉体がうまく結びついていないのです。私が何かをしようと思っても、自分の思いを筋肉の動きに転換することができないのです。私はあきらめて暗闇の中にしばらくのあいだ静かに横たわっていました。

どれくらいのあいだそこでじっとしていたのか、私にはわかりません。でもやがて感覚が少しずつ戻ってきました。しかし感覚の回復に呼応して、当然のことながら痛みもやってきました。それはかなり激しい痛みでした。たぶん脚の骨は折れているだろうと私は思いました。肩も脱臼《だっきゅう》しているかもしれません。あるいは、もっと運が悪ければ、折れているかもしれません。

私はそのままの姿勢で、痛みに耐えていました。涙が知らず知らずに頰《ほお》をつたってながれました。それは痛みからきたものであり、またそれ以上に絶望からきたものでした。世界の果ての砂漠の真ん中の、深い井戸の底にひとりぼっちで残されて、真っ暗な中で激しい痛みに襲われるというのが、どれくらい孤独なものか、どれほど絶望的なものか、とてもおわかりいただけないだろうと思います。私は自分があの下士官にあっさりと射殺されてしまわなかったことを悔やみさえしました。私がもし誰かに撃ち殺されたとしたら、少なくとも私の死は彼らによって関知されます。しかしここで私が死ぬのだとしたなら、それは本当にひとりぼっちの死です。それは誰にも関知されない、無音の死なのです。

時折風の音が聞こえました。風が地表を吹き渡るときに、井戸の入口で不思議な音を立てるのです。それはどこか遠くの世界で女が嘆き泣いている声のような音でした。そのどこか遠くの世界とここの世界とが、細い穴でつながっていて、その声がこちらに聞こえてくるのです。しかしそんな音が聞こえてくるのも、ほんのときたまのことでした。私は深い沈黙と深い暗闇の中にひとりで取り残されていました。

私は痛みをこらえながら、まわりの地面をそっと手で探ってみました。井戸の底は平らでした。それほど広くはありません。直径にして、一メートル六十か七十センチというところです。手で地面を撫《な》でているうちに、私の手は突然硬く尖《とが》ったものに触れました。私は驚いて反射的にさっと手を引きましたが、もう一度ゆっくりと用心深く、そこにある何かに手を伸ばしてみました。そして私の指は再びその尖ったものに触れました。最初のうち、私はそれを木の枝かなにかだと思いました。しかしやがてそれが骨であることがわかりました。人間の骨ではありません。もっと小さな動物の骨です。それは長い時を経たせいか、あるいは私が落下したときに下敷きにしたせいか、ばらばらになっていました。その何かの小動物の骨の他には井戸の底には何もありませんでした。さらさらとした細かい砂があるだけです。

それから私は手のひらで壁を撫でてみました。壁は薄く平らな石を積み重ねて作ってあるようでした。日中は地表はかなり暑くなるのですが、その暑さもこの地下の世界までは届かず、それはまるで氷のようにひやっとしていました。私は壁に手を這《は》わせて、石と石との隙間《すきま》をひとつひとつ調べてみました。うまくいけばそれを足場にして地上にあがることもできるかもしれないと思ったのです。しかしその隙間は、よじ登る足場にするにはあまりにも狭いものでしたし、私の負った怪我《けが》のことを思うと、それはほとんど不可能に近い話でした。

私は体をひきずるようにして地面から起き上がり、ようやく壁にもたれかかりました。体を動かすと、肩と脚がまるで何本もの太い針を打ち込まれたみたいに疼《うず》きました。しばらくのあいだは息をするたびに体が割れてばらばらになってしまいそうに感じられたくらいです。肩に手をやると、その部分が熱くなって腫《は》れあがっていることがわかりました。

それからどれくらい時間が経《た》ったのか、私にはわかりません。しかしある時点で、思いもかけぬことが起こりました。太陽の光がまるで何かの啓示のように、さっと井戸の中に射《さ》し込んだのです。その一瞬、私は私のまわりにあるすべてのものを見ることができました。井戸は鮮やかな光で溢《あふ》れました。それは光の洪水《こうずい》のようでした。私はそのむせかえるような明るさに、息もできないほどでした。暗闇と冷やかさはあっというまにどこかに追い払われ、温かい陽光が私の裸の体を優しく包んでくれました。私の痛みさえもが、その太陽の光に祝福されたように思えました。私の隣には何かの小動物の骨がありました。太陽の光はその白い骨をも温かく照らしだしていました。私は私光の中ではその不吉な骨さえもが、私の温かな仲間のように思えたものです。私は恐を取り囲んでいる石の壁を見ることができました。その光の中にいるあいだ、私は恐怖や痛みや絶望さえをも忘れてしまいました。私は呆然《ぼうぜん》として、その眩《まばゆ》さの中に座り込んでいました。しかしそれも長くはつづきませんでした。やがて光は、それはやってきたときと同じように、一瞬にしてさっと消えてしまいました。深い暗闇がふたたびあたりを覆《おお》いました。それは本当に短い時間の出来事でした。時間にすればせいぜい十秒か十五秒くらいのことだったと思います。深い穴の底にまで太陽がまっすぐに射し込むのは、おそらく角度の関係で一日のあいだにたったそれだけなのです。その光の洪水は私がその意味を理解するかしないかのうちに、消えてしまっていたのです。

太陽の光が消えてしまうと、私は前にも増して深い暗闇の中にいました。私は自分の体をろくに動かすこともできませんでした。水も食糧も何ひとつありません。そしてただのひときれの布も体にまとってはいませんでした。長い午後が過ぎ去り、夜がやってきました。夜になると気温はどんどん下がっていきました。私はほとんど眠ることすらできませんでした。私の体は眠りを求めていましたが、寒さは無数の刺《とげ》のように私の体に突き刺さってきました。自分の生命の芯《しん》が固くなって少しずつ死んでいくように感じられました。上を見ると、そこには凍《い》てつくような星が見えました。恐ろしいほどの星の数でした。私はその星がゆっくりと移動していく様をじっと眺《なが》めていました。その移動によって、私は時間がまだ流れていることを確かめることができました。私はほんの少し眠り、寒さと苦痛に目覚め、また少し眠り、また目覚めました。

やがて朝がやってきました。円形に開いた井戸の入口からくっきりとした星の姿が少しずつ薄らいでいきました。淡い朝の光が丸くそこに浮かんでいました。しかし夜が明けても、星は消えませんでした。星はうっすらとではありますが、いつまでもそこに残っていました。私は壁の石についた朝露をなめて喉《のど》の渇きを癒《いや》しました。量としてはもちろんわずかなものでしたが、それでも私にはそれは天の恵みのように思えたものです。考えてみれば、私は丸いちにち以上、水も飲まなければ、食事もとっておりませんでした。しかし私は食欲というものをまったく感じませんでした。

私は穴の底でじっとしていました。それ以外に私にできることは何もなかったのです。私にはものを考えるということすらできませんでした。そのとき私の置かれた絶望と孤独は、それくらいに深いものだったのです。私は何もせず、何も考えず、ただそこに座り込んでいました。しかし私は無意識のうちにあの一条の光を待っていたのです。一日にほんの僅《わず》かの時間この深い井戸の底にまっすぐ射し込んでくる、あの目もくらむような太陽の光です。原理的に言って、光が直角に地表に射すのは太陽がいちばん高い中空にあるときですから、それはおそらく正午に近い時間であろうと思います。私はただその光の到来を待っていました。何故《なぜ》ならばその他に私に待つことのできるものは何もなかったからです。

　それからずいぶん長い時間が経ったように思います。私は知らず知らずのうちにうとうとと眠りこんでしまいました。何かの気配に気づいてはっと目を覚ましたとき、光は既にそこにありました。私は自分が再びその圧倒的な光に包まれていることを知りました。私はほとんど無意識に両方の手のひらを大きく広げて、そこに太陽を受けました。それは最初のときよりもずっと強い光でした。そして最初のときよりもそれは長く続きました。少なくとも私にはそう感じられました。私はその光の中でぼろぼろと涙を流しました。体じゅうの体液が涙となって、私の目からこぼれ落ちてしまいそうに思えました。私のからだそのものが溶けて液体になってそのままここに流れてしまいそうにさえ思えました。この見事な光の至福の中でなら死んでもいいと思いました。いや、死にたいとさえ私は思いました。そこにあるのは、今何かがここで見事にひとつになったという感覚でした。圧倒的なまでの一体感です。そうだ、人生の真の意義とはこの何十秒かだけ続く光の中に存在するのだ、ここで自分はこのまま死んでしまうべきなのだと私は思いました。

　しかしその光はやはりあっけなく消え去ってしまいました。気がついたときには私ひとりが、その惨《みじ》めな井戸の底に前と同じように残されていました。暗闇と冷気が、まるでそんな光なんか最初からそもそも存在しなかったのだといわんばかりに、私をしっかりと捕らえていました。それから長いあいだ私はそこにじっとしゃがみこんでいました。私の顔は涙でぐっしょりと濡《ぬ》れておりました。まるで巨大な力に叩《たた》きのめされたあとのように、私には何を考えることも何をすることもできませんでした。私は自分の体の存在を感じることさえできませんでした。自分がひからびた残骸《ざんがい》か、脱《ぬ》け殻《がら》のように思えました。それから空っぽの部屋のようになった私の頭の中にもう一度、本田伍長の予言が戻ってきました。私が中国大陸で死ぬことはないというあの予言です。あの光が来て、去っていった今、私には彼の予言をはっきりと信じることができるようになっていました。何故なら私は死ぬべきであった場所で、死ぬべきであった時間に死ぬことができなかったからです。私はここで死なないのではなくて、ここで死ねなかったのです。おわかりになりますか。そのようにして私の恩寵《おんちょう》は失われてしまったのです」

間宮中尉《ちゅうい》はそこまで話すと、腕時計に目をやった。

「そしてごらんのとおり私は今、こうしてここにおります」と彼は静かに言った。そして目に見えぬ記憶の糸を払うように、小さく首を振った。「私は本田さんの言ったとおり中国大陸では死にませんでした。そしてまた四人の中でいちばん長生きをすることになりました」

僕はうなずいた。

「申し訳ありませんでした。長い話になってしまいました。死にそこないの老人の昔話で、退屈なさったでしょう」と間宮中尉は言った。そしてソファーの上で居住まいを正した。「これ以上長居をいたしますと、新幹線の出発時間に遅れてしまいそうです」

「ちょっと待ってください」と僕はあわてて言った。「そんなところで話をやめないでください。それからいったいどうなったんですか？　僕は話の続きが聞きたいんです」

間宮中尉はしばらく僕の顔を見ていた。

「いかがでしょう。私も本当に時間がありませんので、バスの停留所まで一緒に歩きませんか？　そのあいだに残りの話を手短にでもお話しできると思うのですが」

僕は間宮中尉と一緒に家を出て、バスの停留所まで歩いた。

「三日めの朝に私は本田伍長《ごちょう》に助け出されました。私たちが捕まった夜、彼は蒙古兵たちがやってくるのを察して一人でテントを抜け出し、ずっと隠れていたのです。彼はそのときに山本の持っていた書類をそっと鞄《かばん》から抜き取っていきました。何故なら、どのような犠牲を払ってもその書類を敵の手に渡さないということが、我々にとっての最優先事項だったからです。蒙古兵たちのやってくることがわかっていたのなら、どうして彼は私たちを起こしてみんなで一緒に逃げなかったのか、どうして自分一人だけで逃亡したのか、とあなたは疑問に思われるかもしれない。しかしそんなことをしたところで、私たちにとても勝ち目はありませんでした。彼らは私たちがそこにいることを知っていました。そこは彼らの土地であり、人数も装備も彼らの方が上でした。彼らは私たちを簡単に見つけだし、皆殺しにし、書類を手に入れていたでしょう。つまりあの状況では、彼が一人で逃げることが必要だったのです。本田伍長の行為は戦場では明らかに敵前逃亡になります。しかしこのような特殊任務においては、臨機応変ということがいちばん大事なのです。

　彼はロシア人たちがやってきて山本の皮をそっくり剝《は》いでしまうのを見ていました。そして蒙古兵たちが私を連れていくのを見ていました。しかし彼は馬を失ってしまっていたので、私のあとをすぐに追うことができませんでした。本田伍長は歩いてやってくるしかありませんでした。彼は土に埋めた装備を掘りだし、そこに書類を埋めました。それから彼は私たちのあとを追いました。とは言っても、彼が井戸にたどり着くのは大変なことでした。何故なら、私たちがどちらの方向に向かったのかさえ彼にはわからなかったからです」

「どうして本田さんにはその井戸が発見できたのですか？」と僕は訊《き》いてみた。

「それは私にもわかりません。彼もそれについては多くを語りませんでした。しかし彼にはただそれがわかったのだと思います。彼は私を見つけると、服を裂いて長いロープを作り、ほとんど意識を失っていた私を苦労して穴からひっぱりあげました。それから彼はどこかから馬を見つけてきてそれに私を乗せて砂丘を越え、河を渡り、満軍の監視所にまで連れていったのです。そこで私は傷の治療を受け、司令部からのトラックに乗せられてハイラルの病院に運ばれました」

「その書類なり書簡なりはいったいどうなったのですか？」

「おそらくハルハ河近くの土の中にまだそのまま眠っていると思います。私と本田伍長にはそれを掘りだしにいくような余裕はありませんでしたし、それを無理に掘りださなくてはならないような理由もみつけられなかったからです。おそらくそんなものは最初から存在しない方がいいのだという結論に私たちは達しました。軍の取り調べに際して、私たちは口裏をあわせて、書類の話など何も聞いていないと言いました。そう言っておかないと、私たちがその書類を持ちかえらなかった責任を追及されるだろうという気がしたからです。私たちは治療という名目で厳しい監視のもとにそれぞれの病室に隔離され、毎日のように取り調べをうけました。何人もの高級将校がやってきて、何度も同じ話をさせられました。彼らの質問は綿密であり、狡猾《こうかつ》でした。でも彼らは私たちの話を信じたようでした。私は自分の体験したことを残らず詳細に話しました。書類の一件だけを注意深く避けておいたわけです。彼らは私の言ったことを書類にすると、私に向かって、今回のことは機密事項であり、軍の正式な記録にも残ることはない、従ってこれについての一切は口外無用であると言いました。もし口外したことがわかったら、厳しい処分を受けることになるだろうと、彼らは言いました。そして二週間後に私はもとの部署に戻されました。たぶん本田さんも原隊に戻されたのだと思います」

「よくわからないのですが、どうして本田さんはその部隊からわざわざ呼び寄せられたのですか？」と僕は質問した。

「本田さんはそれについても私にはあまり多くのことを語りませんでした。おそらく彼はそれを他人に話すことを禁じられており、私が何も知らないでいるほうが良いと思ったのでしょう。しかし私は彼との話から想像するのですが、山本という男と本田さんのあいだには何か個人的な関係があったのだと思います。そしてそれはたぶん、彼の特殊能力に関することだったのだと思います。というのは、陸軍にはそのような類《たぐ》いの特殊能力を専門に研究する部署があって、全国から霊能や念力といった能力を持った人たちを集めて、いろんな試みを行っているという話を、私もよく耳にはさんでいたからです。本田さんもそういう関係で山本と知り合ったのではないかと私は推測します。そして実際の話、彼のそのような能力がなかったなら、彼が私の居所を見つけ出し、私を正確に満軍の監視所まで連れていってくれるようなことは起こらなかったと思います。地図や磁石もなしに、彼は迷いもせずにまっすぐそこまで行き着いたのです。そんなことは常識で考えてまずありえません。私は地図の専門家です。その辺りの地理もいちおうは呑《の》み込んでおります。しかしその私にだって、そんなことはとてもできません。たぶん山本は本田さんのそういう能力を期待していたのでしょう」

我々はバス停に着いて、バスを待っていた。

「もちろん謎《なぞ》は謎として今でも残っております」と間宮中尉は言った。「私にはいまだにいろんなことがよく理解できません。あそこで私たちを待っていた蒙古《もうこ》人の将校はいったい誰だったのか。もし私たちがあの書類を司令部に持って帰ってきていたら、いったいどんなことになっていたのか。何故山本は私たちをハルハ右岸に残してひとりで河を越えなかったのか。その方が彼はずっと身軽に行動できたはずなのです。あるいは彼は私たちを蒙古軍の囮《おとり》にしてひとりで逃げ延びるつもりだったのかもしれません。それはあり得ることです。あるいは本田伍長はそのことを最初から承知していたのかもしれません。だからこそ彼は山本を見殺しにしたのかもしれません。

いずれにせよ、私と本田伍長はそれ以来ずっと長いあいだ、一度も顔を合わせることもありませんでした。私たちはハイラルに着くとすぐにべつべつに隔離されて、会うことも口をきくことも禁じられてしまいました。私は彼に最後の礼を言いたかったのですが、それも不可能でした。そしてそのまま、彼はノモンハンの戦闘で負傷して内地に送還され、私は終戦まで満州に残り、それからシベリアへと送られました。彼の居所を捜し当てることができたのは、私がシベリア抑留から帰国した何年かあとでした。そしてそれ以来、私たちは何度か顔をあわせ、たまに手紙のやりとりをしました。しかし本田さんはあのハルハ河の出来事を話題にすることは避けているようでしたし、私もまたそのことについてあまり喋《しゃべ》りたいとは思いませんでした。それは私たち二人にとってあまりにも大きな出来事だったからです。私たちはそれについて何もいいいいいいいいい語らないということによって、その体験を共有しておったのです。おわかりになりますか？

長い話になってしまいましたが、私があなたにお伝えしたかったのは、私の本当の人生というのはおそらく、あの外蒙古の砂漠《さばく》にある深い井戸の中で終わってしまったのだろうということなのです。私はあの井戸の底の、一日のうちに十秒か十五秒だけ射しこんでくる強烈な光の中で、生命の核のようなものをすっかり焼きつくしてしまったような気がするのです。あの光は、私にとってはそれくらいに神秘的なものでした。うまく説明することができないのですが、ありのまま正直に申し上げまして、それ以来私は何を目にしても、何を経験しても、心の底では何も感じなくなってしまったのです。ソビエト軍の大戦車部隊を前にしたときでさえ、あるいはこの左手を失ったときでさえ、地獄のようなシベリアの収容所にいたときでさえ、私はある種の無感覚の中にいました。変な話ですが、私にはそんなことはもうどうでもよかったのです。私の中のある何かはもう既に死んでいたのです。そしておそらく私は、そのときに感じたように、あの光の中で消え入るがごとくすっと死んでしまうべきだったのです。それが私の死に時だったのです。しかし、本田さんの予言したとおり、私はそこでは死にませんでした。あるいは死ねなかったというべきかもしれません。

　私は片腕と、十二年という貴重な歳月を失って日本に戻りました。広島に私が帰りついたとき、両親と妹は既に亡《な》くなっておりました。妹は徴用されて広島市内の工場で働いているときに原爆投下にあって死にました。父親もそのときちょうど妹を訪ねに行っていて、やはり命を落としました。母親はそのショックで寝たきりになり、昭和二二年に亡くなりました。先ほどお話ししたように、私が内々に婚約したつもりでおった女性は他の男と結婚して、ふたりの子供をもうけておりました。墓地には私の墓がありました。私にはもう何も残されておりませんでした。私は自分が本当にがらんどうになったみたいに感じました。自分はここに帰ってくるべきではなかったのだと。それ以来今に至るまで、自分がどんな風にして生きてきたのか、よく覚えておらんのです。私は社会科の教師になり、高校で地理と歴史を教えました。しかし私は本当の意味で生きていたわけではありませんでした。私は自分に与えられた現実的な役割をひとつまたひとつと果たしてきただけです。私には友人とよべる人間はひとりもおりませんでしたし、生徒たちとのあいだにも人間的な絆《きずな》というようなものはありませんでした。私は誰も愛しませんでした。私には、誰かを愛するというのはどういうことなのか、わからなくなってしまったのです。目を閉じると、生きたまま皮を剝がれていく山本の姿が浮かびあがってきました。何度もその夢を見ました。山本は私の夢の中で何度も何度も皮を剝がれ、赤い肉のかたまりに変えられていきました。彼の悲痛な悲鳴をはっきりと聞くことができました。そして私は何度も、自分が井戸の底で生きたまま朽ち果てていく夢を見ました。ときにはそれが本当の現実で、こうしている私の人生の方が夢なのではないかと思いました。

本田さんがハルハ河畔で、私は中国大陸では死ぬことはないと言ったとき、私はそれを聞いて喜びました。信じる信じないはともかく、そのときの私は、どんなものにでもすがりつきたいような気持ちだったのです。おそらく本田さんはそれを承知して、私の気持ちをやすめるために、教えてくれたのでしょう。しかし実際には、そこには喜びなど何もなかったのです。日本に戻ってきてから、私はずっと脱け殻のように生きておりました。そして脱け殻のようにしていくら長く生きたところで、それは本当に生きたことにはならんのです。脱け殻の心と、脱け殻の肉体が生み出すものは、脱け殻の人生に過ぎません。私が岡田さんにわかっていただきたいのは、実はそのことだけです」

「それでは間宮さんは帰国されてから、一度も結婚はされなかったのですか」と僕は尋ねてみた。

「もちろんです」と間宮中尉は言った。「妻もおりませんし、親兄弟もおりません。まったくの一人です」

僕は少し迷ってからこう質問してみた。「あなたはその本田さんの予言のようなものを、聞かなければよかったと思いますか？」

間宮中尉はしばらく黙っていた。それから僕の顔をじっと見た。「あるいはそうかもしれません。本田さんはそれを口にするべきではなかったかもしれない。私はそれを聞くべきではなかったかもしれない。本田さんがそのときに言ったように、運命というものはあとになって振り返るものであって、先に知るものではないのでしょう。しかし私は思うのですが、今となってはどちらでも同じことです。私は今はただ生きつづけるという責務を果たしているだけです」

バスがやってくると、間宮中尉は深々と僕に頭を下げた。そして僕に、僕の時間を取ってしまった詫《わ》びを言った。「それでは失礼いたします」と間宮中尉は言った。「いろいろと有り難うございました。なにはともあれ、あなたにあれをお渡しできてよかった。これで私もやっと区切りのようなものをつけることができました。安心して家に帰れます」。彼は義手と右手を使って器用に小銭を出し、バスの料金箱にそれを入れた。

僕はそこに立って、バスが角を曲がって消えていくのをじっと見ていた。バスが見えなくなってしまうと、僕は奇妙なくらい空《むな》しい気持ちになった。それはまるで知らない町に一人で置き去りにされてしまった子供が感じるような、やるせない気持ちだった。

それから僕は家に帰って、居間のソファーに座り、本田さんが形見として僕に残してくれた包みをあけてみた。厳重に幾重にも包装された紙を苦労してはがすと、がっしりとしたボール紙の箱が現れた。カティーサークの贈答用化粧箱だった。しかしその中身がウィスキーでないことは重さでわかった。僕はその箱を開けてみた。そしてその中に何も入っていないことを発見した。それはまったくの空っぽだったのだ。本田さんが僕に残してくれたのは、ただの空っぽの箱だったのだ。

（第2部 予言する鳥編につづく）

参考文献

「ノモンハン美談録」忠霊顕彰會　新京　満洲圖書株式會社　昭和17（1942）年
「ノモンハン空戦記　ソ連空将の回想」ア・べ・ボロジェイキン　林克也・太田多耕訳　弘文堂　昭和39（1964）年
「ノモンハン戦　人間の記録」御田重宝　現代史出版会　発売徳間書店　昭和52（1977）年
「ノモンハン戦記」小沢親光　新人物往来社　昭和49（1974）年
「静かなノモンハン」伊藤桂一　講談社文庫　昭和61（1986）年
「私と満州国」武藤富男　文藝春秋　昭和63（1988）年
「日本軍隊用語集」寺田近雄　立風書房　平成4（1992）年
「ノモンハン　上下　—草原の日ソ戦-1939—」アルヴィン・D・クックス　岩崎俊夫・吉本晋一郎訳　秦郁彦監修　朝日新聞社　平成元（1989）年
「満州帝国　I・II・III」児島襄　文藝春秋　文春文庫　昭和58（1983）年

この作品は平成六年四月新潮社より刊行された。

村上春樹
安西水丸著

ランゲルハンス島の午後

カラフルで夢があふれるイラストと、その隣に気持ちよさそうに寄りそうハートウォーミングなエッセイでつづる25編。

村上春樹著

雨天炎天
―ギリシャ・トルコ辺境紀行―

ギリシャ正教の聖地アトスをひたすら歩くギリシャ編。一転、四駆を駆ってトルコ一周の旅へ――。タフでワイルドな冒険旅行！

村上春樹著

村上朝日堂 はいほー！

本書を一読すれば、誰でも村上ワールドの仲間になれます。安西水丸画伯のイラスト入りで贈る、村上春樹のエッセンス、全31編！

村上春樹
安西水丸著

夜のくもざる
村上朝日堂超短篇小説

読者が参加する小説「ストッキング」から、全篇関西弁で書かれた「ことわざ」まで、謎とユーモアに満ちた「超短篇」小説36本。

河合隼雄
村上春樹著

村上春樹、
河合隼雄に会いにいく

アメリカ体験や家族問題、オウム事件と阪神大震災の衝撃などを深く論じながら、ポジティブな新しい生き方を探る長編対談。

村上春樹著村上朝日堂ジャーナルうずまき猫のみつけかた

マラソンで足腰を鍛え、「猫が喜ぶビデオ」の効果に驚き、車が盗まれ四苦八苦。水丸画伯と陽子夫人の絵と写真満載のアメリカ滞在記。

江國香織著

神様のボート

消えたパパを待って、あたしとママはずっと旅がらす…。恋愛の静かな狂気に囚われた母と、その傍らで成長していく娘の遥かな物語。

江國香織著

東京タワー

恋はするものじゃなくて、おちるもの――。いつか、きっと、突然に……。東京タワーが見える街で繰り広げられる狂おしい恋愛模様。

江國香織著

号泣する準備はできていた

直木賞受賞

孤独を真正面から引き受け、女たちは少しでも前進しようと静かに歩き続ける。いつか号泣するとわかっていても。直木賞受賞短篇集。

川上弘美著

ニシノユキヒコの恋と冒険

姿よしセックスよし、女性には優しくこまめ。なのに必ず去られる。真実の愛を求めさまよった男ニシノのおかしくも切ないその人生。

川上弘美著

センセイの鞄

谷崎潤一郎賞受賞

独り暮らしのツキコさんと年の離れたセンセイの、あわあわと、色濃く流れる日々。あらゆる世代の共感を呼んだ川上文学の代表作。

川上弘美著

古道具 中野商店

てのひらのぬくみを宿すなつかしい品々。小さな古道具店を舞台に、年の離れた4人のもどかしい恋と幸福な日常をえがく傑作長編。

新潮文庫最新刊

宮部みゆき著
ソロモンの偽証
―第Ⅲ部 法廷―
（上・下）

いま、真犯人が告げられる――。現代ミステリーの最高峰、堂々完結。藤野涼子の20年後を描く書き下ろし中編「負の方程式」収録。

池波正太郎ほか著
縄田一男編
まんぷく長屋
―食欲文学傑作選―

鰻、羊羹、そして親友……!? 命に代えても食べたい、極上の美味とは。池波正太郎、筒井康隆、山田風太郎らの傑作七編を精選。

池内紀
川本三郎
松田哲夫 編
日本文学100年の名作
第3巻
1934-1943 三月の第四日曜

新潮文庫100年記念、全10巻の中短編アンソロジー。戦前戦中に発表された、萩原朔太郎、岡本かの子、中島敦らの名編13作を収録。

石原千秋監修
新潮文庫編集部編
新潮ことばの扉
教科書で出会った名詩一〇〇

ページという扉を開くと美しい言の葉があふれだす。各世代が愛した名詩を精選し、一冊に集めた新潮文庫百年記念アンソロジー。

沢木耕太郎著
246

もしかしたら、『深夜特急』はかなりいい本になるかもしれない……。あの名作を完成させた一九八六年の日々を綴った日記エッセイ。

阿川佐和子著
魔女のスープ
―残るは食欲―

あらゆる残り物を煮込んで出来た、世にも怪しい液体――アガワ流「魔女のスープ」。愛を忘れて食に走る、人気作家のおいしい日常。

新潮文庫最新刊

佐藤優著
紳士協定
―私のイギリス物語―

「20年後も僕のことを憶えている?」あの夏の約束を捨て、私は外交官になった。英国研修中の若き日々を追想する告白の書。

石井光太著
地を這う祈り

世界各地のスラムで目の当たりにした、貧しき人々の苛酷な運命。弱者が踏み躙られる現実を炙り出す衝撃のフォト・ルポルタージュ。

福岡伸一著
せいめいのはなし

常に入れ替わりながらバランスをとる生物の「動的平衡」の不思議。内田樹、川上弘美、朝吹真理子、養老孟司との会話が、深部に迫る!

森下典子著
猫といっしょにいるだけで

五十代、独身、母と二人暮らし。生き物は飼わないと決めていた母娘に、突然彼らは舞い降りた。やがて始まる、笑って泣ける猫日和。

山本博文
逢坂剛
宮部みゆき著
江戸学講座

二人の人気作家の様々な疑問を東大史料編纂所の山本教授がすっきり解決。手練作家も思わず唸った「江戸時代通」になれる話を満載。

南陀楼綾繁著
小説検定

8つのテーマごとに小説にまつわるクイズを出題。読書好きなら絶対正解の初級からマニアックな上級まで。雑学満載のコラムも収録。

新潮文庫最新刊

青柳碧人著

ブタカン！
〜池谷美咲の演劇部日誌〜

都立駒川台高校演劇部に、遅れて入部した美咲。公演成功に向けて、練習合宿時々謎解き、舞台監督大奮闘。新☆青春《ブカツ》ミステリ始動！

里見蘭著

大神兄弟探偵社

気に入った仕事のみ、高額報酬で引き受けます――頭脳×人脈×技×体力で、悪党どもをとことん追いつめる、超弩級ミッション！

森川智喜著

未来探偵アドのネジれた事件簿
―タイムパラドクスイリ―

23世紀からやってきた探偵アド。時間移動装置を使って依頼を解決するが未来犯罪に巻き込まれて……。爽快な時空間ミステリ、誕生！

三國青葉著

かおばな剣士妖夏伝
―人の恋路を邪魔する怨霊―

将軍吉宗の世でバイオテロ発生！　ヘタレ剣士右京が活躍する日本ファンタジーノベル大賞優秀賞『かおばな憑依帖』改題文庫化！

小川一水著

こちら、郵政省特別配達課（1・2）

家でも馬でも……危険物でも、あらゆる手段で届けます！　特殊任務遂行、お仕事小説。特別書下し短篇「暁のリエゾン」60枚収録！

石黒浩著

どうすれば「人」を創れるか
―アンドロイドになった私―

人型ロボット研究の第一人者が挑んだ、自分そっくりのアンドロイドづくり。その徹底分析で見えた「人間の本質」とは――。

ねじまき鳥《どり》クロニクル

第1部 泥棒かささぎ編

新潮文庫　む－5－11

平成 九 年十月一日発行
平成二十二年四月十日三十八刷改版
平成二十六年十一月十日五十二刷

著者　村《むら》上《かみ》春《はる》樹《き》

発行者　佐藤隆信

発行所　株式会社 新潮社

郵便番号 一六二―八七一一
東京都新宿区矢来町七一
電話 編集部(〇三)三二六六―五四四〇
読者係(〇三)三二六六―五一一一
http://www.shinchosha.co.jp

価格はカバーに表示してあります。

乱丁・落丁本は、ご面倒ですが小社読者係宛ご送付ください。送料小社負担にてお取替えいたします。

印刷・大日本印刷株式会社　製本・加藤製本株式会社

ISBN978-4-10-100141-8 C0193